## DATE DUE

| | | | |
|---|---|---|---|
| SEP 26 2016 | | | |
| | | | |
| | | | |
| | | | |
| | | | |
| | | | |
| | | | |
| | | | |
| | | | |
| | | | |
| | | | |
| | | | |
| | | | |
| | | | |
| | | | |
| | | | |
| | | | |

Teléfono: 1946-0620
Fax: 1946-0655
e-mail: a_literatura@editorialprogreso.com.mx
e-mail: servicioalcliente@editorialprogreso.com.mx

Desarrollo editorial: Víctor Guzmán Zúñiga
Dirección editorial: Eva Gardenal Crivisqui
Edición: Ariel Hernández Sánchez
Coordinación de diseño: Rigoberto Rosales Alva
Diseño de portada e interiores: Karina Lisette Sánchez Suárez
Ilustración de portada e interiores: Lina María Rada Betancur
(linarada@gmail.com)


Naranjo No. 248, Col. Santa María la Ribera
Delegación Cuauhtémoc, C. P. 06400
México, D. F.

*El conde Letras*
*(Colección Rehilete)*

Miembro de la Cámara Nacional de la Industria Editorial Mexicana
Registro No. 232

ISBN: 978-970-641-837-1 *(Colección Rehilete)*
ISBN: 978-607-456-527-0



Impreso en México
Printed in Mexico

**1ª edición: 2011**

# El conde Letras

Jordi Sierra i Fabra

Ilustraciones de Lina Rada

*A Lina Rada, que creó los personajes,*
*y a Wilson Hurtado, más conocido como*
*Tomascito, "El Mensajero del Amor",*
*que le dio imagen real al conde Letras.*

# CAPÍTULO I

## De los orígenes del conde

No se sabe a ciencia cierta donde nació o de dónde era el famoso conde Letras.

Lo que sí se sabe, es que fue el más singular de los nobles y el más curioso de los personajes habidos y por haber.

Una leyenda que ha llegado hasta nuestros días. Vean si no su imagen.

Sus cejas eran dos paréntesis; los ojos y la boca puntos; la nariz una J; los bigotes dos comas unidas por la parte superior, como si se reflejaran en un espejo, lo mismo que el pelo a ambos lados de la cabeza, formado por las letras T y G; el monóculo era una O sujeta por una L invertida; y por último su vestido estaba decorado exclusivamente por las letras de su nombre, ni una más, ni una menos: EL CONDE LETRAS.

¡Ah!, se sabe que era un conde por su corona de 18 puntas.

¿Y por qué se llamaba así?

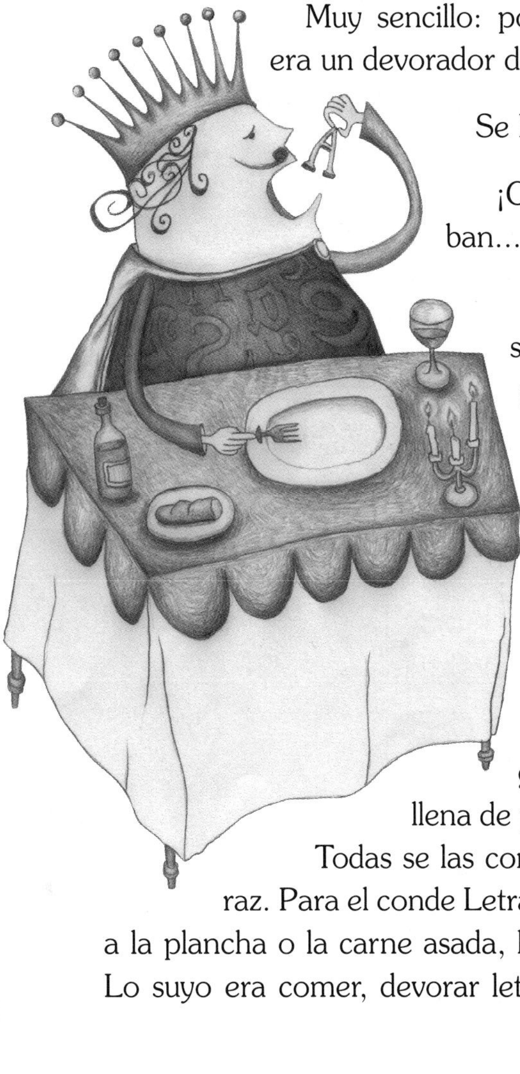

Muy sencillo: porque el conde Letras era un devorador de letras.

Se las comía todas.

¡Oh, cuánto le gustaban...!

La A, que entraban suavemente en su garganta por la punta superior; la B, tan redondita y mullida como un 8; la O, igual que una galletita; la S, sinuosa y larga... Incluso las letras menos digeribles, como la X, que se le atragantaba a veces, o la M llena de puntas, o la aristada K. Todas se las comía con un apetito voraz. Para el conde Letras no existían los peces a la plancha o la carne asada, las papas o la verdura. Lo suyo era comer, devorar letras, como mucho con un poco de pan, para acompañar. Nuestro personaje no visitaba mercados, ¡visitaba librerías!

¡Cómo le encantaba encontrar letras, nuevas o viejas, abecedarios remotos o recién creados!

El conde Letras era muy afable y bonachón. Nunca estaba enfadado, tenía una visión positiva y optimista de la vida. Decía que, puesto que comía letras, y las letras son lo más hermoso de la creación, pues de ellas surgían las palabras y las historias, era imposible que estuviera triste por nada. Ni siquiera cuando tenía mucha, mucha hambre. Y es que también era el más glotón de los glotones. Siempre le quedaba un hueco en el estómago para una H rebozadita o para una V bien dorada. ¡Hummm...! ¿Y qué decir de la G o la Q, tan parecidas a la O?

Claro que no todo era perfecto.

Nadie es perfecto.

Junto a sus mejores dotes humanas y otros detalles, como su amor por la aventura y los viajes, los misterios y aprender cuantas más cosas posibles, el conde Letras era vanidoso.

Estaba seguro de ser inteligente, guapo...

Lo primero nadie lo discutía. Lo segundo...

Hay gustos para todo, ¿no?

A nuestro personaje, viajar le parecía lo mejor del mundo. Siempre tenía la maleta a punto para irse por ahí, en busca de letras o países. Entonces dejaba su corona, se ponía un sombrero, cogía la maleta y la cámara fotográfica... ¿Que en la época de los condes no había cámaras? Eso lo irán ustedes. Nuestro conde tenía cámara y no se hable más.

Y viajaba en avión.

Así son las leyendas, ¿no?

Bueno, se dicen tantas y tantas cosas de él.

Vivía en un castillo precioso, situado en lo alto de una colina, al pie de la cual serpenteaba un río de aguas puras y cristalinas. Sus súbditos le querían porque era justo y porque en su condado había muchas bibliotecas, más que tabernas o bancos, así que los libros eran gratis. Claro que a veces a alguno le faltaban dos o tres letras. Entonces cualquiera podía imaginar que ese libro había caído previamente en sus manos. Pero se lo perdonaban. Mientras pudiesen seguir leyendo el texto, no pasaba nada. Y porque faltasen dos o tres letras...

Lo malo era cuando se comía la última página, entera, y entonces nadie sabía como terminaba la historia.

En cuanto a los orígenes del conde Letras...

No es que importen mucho para seguir este relato, pero siempre es bueno conocer un poco a los personajes con objeto de entender luego sus reacciones, sus motivaciones, el por qué de sus habilidades... En su castillo tenía una galería de cuadros con algunos de sus antepasados. Había exploradores, mercaderes, navegantes, aviadores, artistas... Y un algo de todos ellos lo había heredado él, por supuesto, ya que le gustaba explorar, volar, pintar y muchas cosas más. La historia de los condes cuyo linaje concluía en él se remontaba a muchos años, muchísimos.

Aunque por lo visto, el primero fuese... pirata.

Un temible bucanero que hizo su fortuna en los siete mares y, muy probablemente, ganase así su título nobiliario.

El parecido con el conde Letras ya resultaba asombroso, aunque nuestro pirata tuviese una pata de palo y le faltase un ojo, el izquierdo. El loro, en lugar de llevarlo sobre el hombro, lo llevaba encima del sombrero. Es evidente que al animalito, cosquilloso él, le molestaban la T y la G que constituían los pelos de la cabeza de su dueño.

Bueno, pues una vez hechas las presentaciones, es el momento de dar inicio a nuestra historia.

Todo comenzó un día...

## CAPÍTULO II

# La gran noticia de Noticias

Aquel día Noticias llegó excitada y febril al salón del palacio donde el conde Letras recibía a sus súbditos.

—¡Señor, señor, traigo noticias! –anunció la singular niña.

—Bueno, por eso te llamas así, Noticias –objetó su amo–. Si te llamaras Tristezas te pasarías el día llorando, y si te llamaras Viento silbarías por todas partes.

A veces el conde Letras era muy peculiar.

Noticias era una niña extraordinaria, y también original, por no decir rara. Tenía diez años y cada día amanecía con el cabello de un color distinto. El de esa jornada era verde. Llevaba siempre una trompetilla para hacer que su voz sonase alta y limpia y, sobre todo, para que llegara a cualquier parte. Daba las noticias bailando, bailando sin parar, igual que si sus pies tuvieran alas. Y era incansable. Sus coreografías resultaban muy hermosas, dependiendo de las noticias de que fuese portadora. Calzaba unas delicadas zapatillas de ballet, vestía una falda circular que daba vueltas con su baile, y su ropa siempre era de color violeta, como sus ojos.

El conde Letras esperó a que su baile menguara la intensidad, pero aquella mañana a Noticias se la veía excitadísima. Sus pasos eran rápidos, las vueltas de su falda incesantes, su cabello se desparramaba como un matorral envolviéndole la cabeza. Nunca había irrumpido en el salón con tanta intensidad, así que todos los presente se quedaron tan impresionados como expectantes.

—Noticias, que no tengo todo el día –intentó reprenderla el conde Letras.

La niña dio un salto, cruzó y descruzó las piernas en el aire, cayó dando vueltas sobre sí misma y luego se llevó la trompetilla a los labios.

—¡Existe una nueva letra, mi señor! –anunció.

Se hizo el silencio en el salón.

—¿Cómo que existe una nueva letra?

—¡Lo que oye! ¿No es fascinante? –bailó de nuevo la niña poniéndose de puntitas mientras elevaba los brazos por encima de su cabeza.

—¡No hay nuevas letras, todas están inventadas! –alzó una de sus cejas, la izquierda, el conde Letras.

—¿A qué es la más grande noticia que jamás haya oído? –cantó la voz de la danzante a través de la trompetilla, esparciendo sus agudos ecos por doquier, mientras daba vueltas sin parar alrededor del trono.

Su señor perdió la paciencia.

—¡Quieres estarte quieta!

Noticias no le hizo el menor caso.

—Es que si no bailo... no me salen las palabras, ya lo sabe –se excusó.

—¡Me va a dar tortícolis! –gimió el dueño del castillo incapaz de retorcer más su cuello.

De pronto la niña se detuvo frente a él. Pareció flotar. El cabello volaba libre y también su mano derecha. Con la izquierda sostenía la trompetilla, que apuntó directamente hacia el conde.

—Me han dicho que más allá de nuestras fronteras, en los inexplorados y misteriosos valles ocultos de las montañas de la Luna, ha aparecido una letra llamada... ¡I!

—¡La Y ya existe! –protestó el conde Letras.

—No, esa Y no, otra. ¡Una I larga y tiesa como un palo, liviana y elegante!

—¿Y para que se necesitan dos letras que suenan igual y se escriben distinto? ¡Menudo lío!

—Yo no lo sé, mi señor –bailó una danza muy suave, porque ahora no necesitaba expresar ninguna intensidad–. Le cuento lo que ha llegado hasta mí. Y soy Noticias. ¿Cuándo le he fallado?

—Nunca, eso es cierto –se rascó la cabeza el conde Letras.

—Son los nuevos tiempos, señor Conde –le susurró al oído uno de sus consejeros–. Hay cambios por todas partes.

—Quizás si esa nueva letra se impone, algunas palabras ganarán en resonancia –apuntó otro.

—Ser de los primeros en conocerla, y usarla, sería una loa para su historia –suspiró un tercero, el más tonto de su corte.

El conde Letras continuó meditando.

—El caminante que me lo contó me dijo que si la I mayúscula es más tiesa que un palo, la i minúscula es preciosa, delicada y armoniosa. Tiene un puntito sobre la cabeza –continuó Noticias.

—¿Un puntito? –al conde se le hizo la boca agua.

—¡Un puntito! –cantó la niña dando un brinco feliz–. Si se come primero el palito, el punto es como... una cereza, el postre. Algo de lo más exótico.

El conde Letras se lo imaginó.

Una letra nueva, un sabor nuevo, un placer nuevo.

—¿Y dónde dices que está esa nueva letra?

—En un rincón perdido de las montañas de la Luna, un lugar llamado Valle Luminoso, en un pueblecito conocido como Villa Alphabética.

—Las montañas de la Luna... –volvió a rascarse la cabeza el conde, con lo cual la corona le quedó un poco torcida y pareció más campechano de lo normal–. Se dice que nadie habita por allí ya que es un lugar mágico y encantado. Y además, nunca he oído hablar de Villa Al... Al...

—Alphabética –le recordó Noticias.

—Sea como sea esas montañas son inaccesibles por tierra, y por aire... con tormentas, vientos peligrosos, nubes traicioneras...

Noticias se quedó quieta. Ya había dicho lo que tenía que decir.

En el gran salón del trono no se oía ni una mosca.

Pero todos sabían que la tentación era demasiado fuerte como para que su amo y señor la ignorara.

## CAPÍTULO III

# El viaje hacia las montañas de la Luna

El conde Letras no tardó ni dos días en organizar el viaje.

Su viaje.

Nada de encomendar la misión a sus nobles o personas de confianza. Conocía, mejor que nadie, uno de los viejos lemas de su familia. Lo tenía escrito sobre su gran mesa de madera, en la que trabajaba cada tarde.

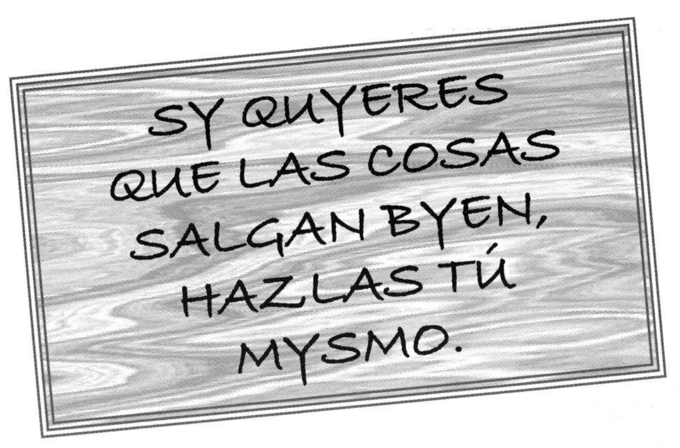

Y claro que quería que salieran bien. Si era otro el que lo hacía mal, la culpa sería suya. Luego no podría quejarse.

Al amanecer del segundo día el conde Letras y su fiel servidor Catalejo subieron al globo que iba a llevarles a las montañas de la Luna. Había escogido el globo porque no estaba seguro de que en las montañas, o en los valles de su interior, hubiera pistas de aterrizaje si iba en avión. Y lo mismo si escogía un planeador o un zepelín. Con un globo en cambio se iba a todas partes, se aparcaba en cualquier lugar y era muy fácil de dirigir, aunque con los temibles vientos de las montañas y su fama de ser tan inaccesibles como peligrosas...

Bueno, la aventura formaba parte de todo viaje, ¿no?

El que sí estaba preocupado, y mucho, era Catalejo.

El más fiel servidor del conde Letras era un cíclope encontrado en uno de sus muchos viajes. Se trataba del último de su especie. Como sólo tenía un ojo, llevaba siempre un catalejo para poder mirar más lejos. De ahí su nombre. Vivía en una isla de la que jamás hubiera salido de no haber aterrizado en ella el planeador del conde. Además de una muy buena persona, Catalejo era curioso, observador y muy activo, aunque no destacaba por su valor.

Eso no.

—¿Quiere que lo acompañe a las montañas de la Luna, mi señor? –se estremeció de arriba abajo cuando se lo dijo.

—¿Cómo quieres que encuentre una nueva letra si no? A lo peor es tan pequeña que no puedo verla. O puede estar oculta si, como dice Noticias, es larga y delgada, esquelética. ¡Te necesito! ¿No tendrás miedo a unas montañitas de nada, por muy inaccesibles o peligrosas que siempre se ha dicho que son?

—El problema no es que sean inaccesibles o peligrosas, sino su leyenda de mágicas, y de ocultar secretos, seres extraordinarios...

—¡Catalejo, no seas supersticioso!

Catalejo se tragó su miedo, aunque como sólo tenía un ojo, y estaba siempre muy abierto, su cara no dejaba de parecer mitad asustada, mitad expectante, mitad sorprendida...

El conde Letras, con su uniforme de piloto –llevaba su vestimenta real en la maleta, claro–, se despidió de sus nobles en lo alto de la torre de palacio.

—¡Hasta pronto, pórtense bien! –les dijo.

Luego dejó que el globo se elevara gracilmente hacia el cielo.

A los pocos minutos, el palacio era tan sólo una mancha oscura recortada a sus pies, con el río, el pueblo, su condado envolviéndolo.

—¡Allá vamos! –suspiró feliz con su bufanda ondeando al viento.

Catalejo le miró impresionado.

Si no fuera porque le quería mucho y era su amigo, y le había salvado de la soledad de aquella isla...

Por si acaso, se puso a trabajar: con su catalejo observó el horizonte.

El viaje fue plácido a lo largo de aquel día. Incluso comieron y merendaron tranquilamente en la cesta del globo, felices. El cielo era azul, el viento favorable, y la temperatura perfecta. Las montañas de la Luna se acercaban a ellos envueltas en su misterio. Eran cumbres altas y nevadas. Catalejo no dejaba de observarlas con aprensión.

Al anochecer todo cambió.

Primero, el frío. Segundo, las nubes. Tercero, la tormenta que descargó sobre ellos, calándoles hasta los huesos. El conde Letras tuvo que protegerse con un impermeable y Catalejo se vio obligado a guardar su catalejo para que no se le estropeara y porque, de todas formas, era imposible ver nada con él. Bastante trabajo tuvieron para sobrevolar las cumbres montañosas sin dejarse el globo o la barquilla por el camino. Fueron horas de incertidumbre, batidos por el viento y la lluvia, hasta que al amanecer...

—¡Mira, Catalejo!

Catalejo miró.

Habían dejado las montañas atrás, el día volvía a ser hermoso, estaban secos y sobrevolaban un hermoso valle circular en mitad del cual se divisaba un gran lago que proyectaba la luz del sol a su alrededor.

—Vaya suerte que tenemos –cantó el conde–. Éste sin duda debe de ser el Valle Luminoso.

Catalejo buscó Villa Alphabética sin encontrar ningún pueblo. Ni siquiera una simple casa.

—La vegetación es muy tupida –manifestó–. Resulta imposible ver nada bajo ella.

Era hora de descender y seguir a pie la aventura.

El conde Letras hizo la maniobra de forma segura y nada más tocar tierra aseguraron el globo. Entonces él volvió a ponerse sus ropas y su corona.

—¡Fantástico! –suspiró emocionado–. ¡Vamos allá!

Allá fueron.

## CAPÍTULO IV

# El castor trabajador

Caminaron cerca de una hora sin ver nada salvo árboles y vegetación. A veces, el avance resultaba difícil a causa de lo ubérrima y cerrada que era aquella masa verde y compacta. Cuando por fin alcanzaron un riachuelo, siguieron su curso por la orilla y entonces el paso se hizo un poco más rápido. El conde iba delante, orgulloso, y Catalejo en ocasiones lo hacía a su lado, mirando siempre a todas partes con su catalejo, mientras que en otras se colocaba detrás, cuando la orilla se estrechaba. El cíclope admiraba el valor de su señor.

—Pase lo que pase, encontremos o no esa letra, el placer de la aventura es lo primero, ¿no crees, Catalejo?

—Oh, sí... sí, desde luego... mi señor –intentó que su voz sonara firme y decidida sin lograrlo mucho.

—Fíjate qué maravilla –abrió los brazos el conde–. ¡Y lo que abren el apetito las excursiones!

Continuaron riachuelo abajo despacio, no fueran a meterse en arenas movedizas o en una trampa de la naturaleza. Cualquier leyenda mágica que envolviera aquel lugar parecía no ser más que eso, una leyenda.

Finalmente, Catalejo consiguió ver algo.

—Allí –señaló un remanso de la corriente líquida.

Ciertamente, algo se movía en él.

—Menos mal –suspiró el conde.

—Ten cuidado, mi...

Ni caso le hizo. El conde Letras ya caminaba decidido hacia el lugar.

A unos pocos metros por fin reconocieron la figura que les había llamado la atención. Era un castor. Pero no un castor normal y corriente, peludito y dispuesto a levantar diques en el río, sino un castor... diferente.

Inusual.

Iba vestido con un estrafalario traje a rayas, verde, como si quisiera camuflarse con la naturaleza, y llevaba así mismo una gorra del mismo color. Las patas traseras calzaban botas negras. Con las delanteras sujetaba unas tijeras y una hoja de papel de color amarillo.

Trabajaba febrilmente, yendo de un lado a otro, aunque no estaba claro que era lo que estaba haciendo.

El conde y Catalejo se detuvieron a una prudente distancia, sin saber muy bien qué hacer.

Hasta que, de pronto, el extraño castor les vio.

—Hola.

Hablaba.

—Hola –trató de no mostrarse muy sorprendido el señor conde, pues en sus viajes había visto y conocido gentes y cosas de la más variada índole.

Catalejo parpadeó.

—No pareces de por aquí –dijo el castor.

—Somos extranjeros.

—Ya decía yo –miró primero al conde, de arriba abajo, y luego a Catalejo, extrañado por el hecho de que sólo tuviera un ojo–. Desde luego no pueden ser más que extranjeros o salidos de un manicomio, o un circo –sonrió de forma boba, con sus dos dientes frontales tan salidos que su aspecto era de absoluta inocencia.

—Podríamos decir lo mismo de ti –objetó el conde Letras.

—Sí, pero yo vivo aquí –repuso el castor–. ¿Son muchos?

—Sólo nosotros dos.

—Menos mal –suspiró–. El turismo, cuando se incremente, lo cambiará todo. Mucha gente ensuciando, vestidos estrafalariamente –volvió a mirarles de arriba abajo y de lado a lado–, cambios, problemas... –por fin se atrevió a preguntar–: ¿Y tú por qué tienes un ojo únicamente?

—¿Y tú por qué hablas? –le respondió Catalejo, algo picado en su amor propio.

—Vaya pregunta más tonta –repuso el castor.

—Lo mismo digo –se cruzó de brazos Catalejo.

El conde Letras puso paz.

—Perdona, tenemos algo de prisa. Si pudieras ayudarnos... Estamos buscando una letra.

—¿Qué clase de letra?

—Una I. Si es minúscula lleva un puntito arriba.

—Yo no tengo ni idea de letras. Bastante tengo con lo mío. Corto por aquí, pego por allá... Eso es cosa de los eruditos. Yo soy un trabajador. No puedo ayudarlos.

—Entonces dinos si este es el Valle Luminoso.

—Sí, lo es.

—Bien –suspiró el conde–. ¿Por dónde está Villa Alphabética?

—Vaya, así que ya se habla de ella más allá de nuestras fronteras –rezongó con pesar el castor–. Lo que yo digo, como se ponga esto lleno de turistas...

—No se lo contaremos a nadie –le prometió el conde.

El castor se encogió de hombros.

—No tienen más que seguir este curso, aunque deben preguntar más adelante, porque el riachuelo se divide en varias ramas y pueden perderse un poco.

—Gracias –se despidió lleno de cordialidad.

—No hay de qué.

Echaron a andar.

Tan tranquilos.

Sólo una vez, un par de minutos después, Catalejo volvió la cabeza para ver al castor, que continuaba yendo de un lado a otro, febrilmente, con sus tijeras, aunque en apariencia no pareciera estar haciendo nada concreto.

—¡Qué tipo más raro! –suspiró antes de tropezar y estar a punto de romper su catalejo.

—Fíjate por donde andas –se lo reprochó su amo–. Lo importante del camino no es lo que queda atrás, sino lo que está por delante.

# CAPÍTULO V

## El lector minero y la mina de libros

Pese a los bosques, las plantas exuberantes, los matorrales, el riachuelo... el lugar era raro.

Muy raro.

Lo notaban en los huesos.

—Señor, tengo malas vibraciones.

—Tú siempre tienes malas vibraciones, Catalejo.

—Es que...

—Sí, ya sé. No oye nada, ni el canto de los pájaros, ni el ulular del viento, y tal parece que, ciertamente, estemos andando por un lugar encantado, que no encantador. Pero somos gentes de bien, y venimos en son de paz, así que no hay nada que temer, ¿verdad?

—¿Está seguro?

—Por completo –afirmó rotundo el conde Letras.

Catalejo ya no dijo nada.

Hasta unos quince minutos más tarde, cuando con su catalejo apuntó en dirección a la ladera de una pequeña colina situada a su izquierda.

—¡Allí! –indicó.

Parecía la entrada de una mina, y en ella trabajaba un hombre.

—Vamos a preguntar –se animó el jefe de la expedición.

Vadearon el riachuelo y subieron en dirección al hueco de la pared, situado frente a una pequeña explanada llena de libros apilados con relativo orden. Montañas de ellos. Al conde Letras se le iluminaron los ojos. Cuando alcanzaron su destino no vieron a nadie cerca. El lugar estaba tan silencioso como el resto de lo que ya conocían del Valle Luminoso.

—¡Eh! –gritó el conde Letras asomándose a la oscuridad de la entrada minera.

Ninguna respuesta.

—Habrá que inspeccionar esto.

—Señor, yo no entraría ahí –le detuvo su compañero.

—¿Por qué?

—¿Y si nos disparan?

—¡No digas tonterías Catalejo! ¿Qué quieres que hagamos, esperar? ¿Y si ese hombre no sale en horas?

Acababa de decirlo cuando, para alivio de Catalejo, el nuevo personaje reapareció ante sus ojos emergiendo de la boca de la mina. Era un tipo no menos curioso que el castor. Llevaba un sombrero extraño, una bufanda al cuello, con seguridad para protegerse del frío de la mina, vestía de rojo y sostenía un enorme libro con ambas manos.

Al verles a ellos, quietos como estatuas, ensimismado, dejó el libro en el suelo, cargó con el conde Letras y se lo llevó en andas hacia la oscuridad de la mina antes de que Catalejo pudiera reaccionar.

—¡Eh, eh! –protestó el conde.

—¡Oh, oh! Perdona... –volvió a depositarlo en el suelo–. No me he dado cuenta... –le miró a él y luego a Catalejo–. No pasa mucha gente por aquí, y menos se detienen a hablar conmigo. He pensado que eras un libro.

—¿Tengo forma de libro?

—Los hay muy raros, troquelados –argumentó el hombre.

—¿Qué lugar es éste?

—La mina de los libros olvidados.

—¿Los libros olvidados? –se extrañó del término.

—Sí –asintió el minero–. Hay miles, millones de libros que ya no lee nadie. La gente se olvida de ellos, y los tira. Mi trabajo es recogerlos y guardarlos aquí –señaló el oscuro hueco de la entrada de la mina–, para que no se pierdan. Así preservo su recuerdo. Los archivo, los ordeno, los leo...

—¿Los lees?

—Todos. Tengo una memoria de elefante. Escarbo en ellos, busco palabras preciosas... Soy muy rápido.

—Entonces quizás puedas ayudarnos.

—¿Quieres algún libro? –se animó el minero.

—No, sólo una letra nueva.

—No hay letras nuevas.

—Esta sí. Me han dicho que es una I, con un puntito encima si es minúscula.

El lector minero esbozó una sonrisa.

—La letra I no es nueva –dijo.

—¿Ah, no? –se extrañó el conde.

—¿De dónde vienen? –el minero miró a Catalejo.

—Del otro lado de las montañas.

—Ah –asintió el hombre–. El país remoto. He oído hablar de él.

—Perdona, pero los remotos son ustedes –le corrigió el conde.

—Eso depende del lugar en que uno esté, ¿no te parece, amigo?

—El señor conde… –intentó entrometerse Catalejo para defender a su señor.

—No importa, Catalejo –lo detuvo su amo–. Cuando uno viaja, debe de tener la mente abierta –y dirigiéndose de nuevo al lector minero, agregó–: ¿Cómo es esa letra? ¿Tienes alguna? ¿Puedo verla?

—Por supuesto.

El hombre no tuvo más que agacharse para recoger el libro que antes había sostenido entre sus manos. Lo abrió sin más, sin buscar una página específica. Luego le mostró lo que con tanto ahínco perseguía su visitante, porque aquellas páginas, al parecer, estaban llenas de la letra en cuestión.

Por primera vez, el conde Letras vio una i.

Se le hizo agua la boca.

Tanto que sin darse cuenta se llevó el libro a la boca.

—¡Eh!, ¿qué haces? –le quitó el libro de las manos el hombre.

—¿Yo? –el conde Letras se puso rojo–. Nada, nada, quería...

—¿Ibas a comerte las letras?

—¡No! –se puso aún más rojo.

—¡Eres un tragón! ¡Ahora entiendo tu aspecto!

No supo si ofenderse o resignarse. Optó por la sinceridad como mejor arma.

—Así es, como letras, sí –alzó la cabeza con orgullo–. Si pudieras dejarme probar esa i...

—¡Ni hablar! –el lector minero se interpuso entre él y los libros–. ¡Menuda ocurrencia! ¡Si te comes una sola i quedará una palabra ilegible!

—Para probar, nada más –casi se lo suplicó–. ¡Tienes miles de libros, tú lo has dicho!

—¡Que no! ¡Y ya se están largando de aquí los dos! ¿Tú también comes letras?

Catalejo negó con la cabeza, dispuesto a defender a su señor en caso de que el minero se pusiera agresivo.

—Vamos, márchense –insistió el hombre–. ¡Y no se les ocurra regresar de noche porque yo nunca duermo!

—Vaya forma de tratar a un conde –se hizo el digno el conde Letras.

—¿Tú eres conde? –se echó a reír el minero–. ¿Y nos acabas de llamar raros? ¡Largo de aquí!

Se largaron, se largaron.

El lector minero, de pronto, parecía muy rudo.

## CAPÍTULO VI

# El ogro jugador

Cuando alcanzaron el lecho del riachuelo y dejaron atrás la mina, el conde Letras se fijó en lo espantado del ojo de Catalejo.

—Hubiera podido reducirle –le dijo.

—Ya lo sé, señor.

—Soy maestro en luchas.

—Conozco su destreza.

—Pero soy pacifista –argumentó con orgullo–. Y no se puede ir por ahí imponiéndose a los demás mediante la fuerza bruta. No es elegante.

—Claro.

—Después de todo somos extranjeros. Hay que respetar los usos y costumbres de los aborígenes.

—¿Aborígenes?

—Los autóctonos, los que habitan en un sitio y proceden de él.

—Ah.

Siguieron el camino paralelo al riachuelo.

Pero ahora la cabeza del conde Letras estaba llena de aquella letra.

Ciertamente era preciosa, y parecía de un apetitoso...

Se le hizo agua la boca.

¿Cómo era posible que la letra I, i en minúscula, no hubiera llegado a su condado? ¿La preservaban con celo los habitantes de Villa Alphabética, sin querer compartirla?

—Egoístas –rezongó.

—¿Qué dice, mi señor?

—Nada, nada. Hablaba en voz alta para mí mismo.

Otro largo trecho en silencio, hasta que el conde se detuvo y se sentó en una piedra del lecho seco dejado por un meandro de la corriente de agua.

Se le notaba molesto.

Era la primera vez que un plebeyo le hacía retroceder, por mucho que estuviese en un lugar en el que nadie le conocía.

—¿Ya sabremos regresar?

—Lo estoy memorizando todo, no te preocupes –le tranquilizó Catalejo–. Y no sólo del entorno, sino de las montañas que nos rodean, la posición del sol...

—Tú ándate con ojo, Catalejo.

Su servidor lo abrió todavía más.

—Así lo hago.

—Mi sexto sentido me dice que estamos cerca de algo, pero no puedo precisar de qué –pareció olisquear el aire.

Catalejo optó por lo suyo: mirar.

—Yo no veo nad...

No pudo completar la frase.

De las ramas del árbol que les daba sombra, extendidas por encima de su cabeza, se descolgó un ser extraño.

Muy extraño.

Pequeño, verde, peinado con un curioso remolino, vistiendo un chaleco y calzas, con botas de duende.

Aunque no era un duende.

—¡Arg! –los amenazó.

De haber medido dos metros, se hubieran asustado mucho. Pero no medía más que unos centímetros. Y además su cara era de buena persona pese al miedo que trataba de infundirles.

El conde y Catalejo se quedaron quietos.

—¿Nos les provoco miedo? –preguntó al aparecido.

—No –respondió el noble.

—Pues soy un ogro.

—No existen los ogros.

—Será en tu país. Aquí sí.

—En cualquier caso más pareces una mancha verde o una hoja aplastada.

Eso lo conmocionó. Se vio en seguida. Lo conmocionó y lo disgustó. Su cara sufrió una transfiguración gradual, hasta verse sumergida por un torrente de tristeza y dolor que lo arrastró al llanto.

—¡Soy un ogro! –gimió dejándose caer de rodillas al suelo.

El conde Letras y Catalejo se miraron.

—Bueno, bueno, no te pongas así –quiso consolarle el primero–. No siempre lo que parecemos es lo que queremos que vean los demás.

—Vaya, cuanta razón tienes en eso –se secó las lágrimas el pequeño ser verde–. De hecho me conocen más por mi afición a jugar que por tratar de ser malo, pero como parecían extranjeros...

—¿Jugar? –preguntó Catalejo, que era un amante de los juegos en palacio.

—Sí, mira –el ogro le mostró un sinfín de dados y fichas que aparecieron en sus manos.

—¿Podríamos...?

—Catalejo...

—¡Oh, sí, mi señor, discúlpeme! –cedió en su entusiasmo.

—¿Señor? –se extrañó el otro.

—Soy el conde Letras –se presentó–. Venimos del otro lado de las montañas de la Luna.

—¿Qué montañas son ésas?

—Las de ahí atrás –se las señaló.

—Nosotros las llamamos montañas del Sol.

Era lógico.

Otro lugar, otros nombres.

A veces el mundo era demasiado grande.

—Estamos buscando una letra –le explicó el conde–. Y se la dibujó en el suelo ahora que ya sabía su forma después de verla en el libro del lector minero.

El ogro se quedó tal cual.

—¿Cómo es posible que la estés buscando si acabas de dibujarla?

—Necesito llevármela a mi condado. Podría conseguir un libro y ya está. Pero ahora quiero saber quién la creó, y que me la haga para mí. Quiero que también allí aparezca en los libros. Hemos de llegar a Villa Alphabética.

—¿La ciudad?

—Sí.

—No es un buen sitio para mí –puso cara de sufrimiento–. Yo soy un ogro de los bosques.

—¿Y con quién juegas? –preguntó Catalejo.

—Con los animales, con el castor del río... –se encogió de hombros–. ¿Quieres quedarte aquí, conmigo?

Catalejo miró a su señor.

—No –fue sincero–. El conde Letras es mi amo y amigo, a quien sirvo y respeto.

El conde hinchó orgulloso su pecho.

—En tal caso será mejor que prosigan su camino –el ogro, resignado, se puso en pie.

—¿Por aquí vamos bien?

—Sí, no tienen más que seguir el riachuelo y preguntar cuando empiece a ramificarse, porque si se equivocan de camino acabarán en la sima del Diablo.

—¿Preguntar a quién?

—Bueno, hay mucha gente por ahí –volvió a encogerse de hombros el ogro–. Siempre encontrarán a alguien.

—Eso es lo malo –suspiró Catalejo–, que hay "mucha gente", y a cual más rara.

—¿Qué dices, Catalejo? –le preguntó el conde

—Nada, nada, señor. Cosas mías.

—Gracias, amigo –se despidió del ogro el conde Letras–. Espero que encuentres con quien jugar.

Lo dejaron atrás, todavía un poco triste.

Luego se subió al árbol y lo perdieron de vista.

## CAPÍTULO VII

# El castillo misterioso

No tuvieron más remedio que comer frutos de los árboles. Ni hablar de cazar porque no se veían animales y tampoco llevaban armas para tal fin. Y ni hablar de pescar porque el riachuelo apenas si tenía un poco de agua y no se divisaba ningún pez bajo su cristalina superficie.

Al conde no le gustaba la fruta, ni la verdura, así que a cada bocado su cara reflejaba el asco que sentía.

—Pues la fruta lleva muchas vitaminas, señor –le recordó Catalejo, que para algo había subsistido tantos años en aquella isla donde lo encontró su señor.

Lo fulminó con la mirada, que para algo él tenía dos ojos.

Catalejo disimuló llevándose su catalejo al ojo para atisbar cuanto les rodeaba.

—Desde aquí no verás nada –gruñó el noble–. Los árboles son demasiado altos, y la espesura resulta infranqueable. Tendrás que subirte a la copa de uno.

Su servidor levantó la cabeza.

Los árboles debían de medir al menos treinta metros.

Tragó saliva.

—Vamos, vamos –manifestó el conde–. Otro día, en lugar de llevarte conmigo de paseo, llevaré a otro. Encima de que te animo la vida...

—Me haces un... gran honor, mi señor –se estremeció Catalejo.

Y trepó por el árbol más cercano.

El conde Letras le observó, hasta que desapareció por entre las ramas y el tupido follaje.

—Este Catalejo... –susurró orondo y feliz antes de volver a poner cara de asco por la fruta que estaba comiendo, dotada de un asqueroso sabor ácido.

Su compañero de viaje tardó unos diez minutos en dar señales de vida, y unos diez minutos y un segundo en reaparecer.

Primero fue un rumor, un jadeo, un roce.

—Arf... huf... oh... huy... mmm...

De pronto surgió de la espesura, cómicamente, y se quedó colgado de la primera rama visible. El resto lo hizo en caída libre, justo al lado de su amo, que no tuvo ni que apartarse.

—¡Ay! –se lamentó Catalejo frotándose la parte más blanda de su cuerpo mientras la pupila del ojo le daba vueltas a consecuencia del susto y el vértigo.

—Eres un quejumbroso –movió la cabeza el conde Letras.

—Caramba, es que...

—¿Has visto algo?

—Un castillo.

Su señor alzó las dos cejas.

—¿Un castillo?

—Sí, un castillo –continuó frotándose las posaderas–. Por allí, no demasiado lejos, quizás a una hora de camino.

—¡Un castillo! –se animó el conde–. ¿Será que por aquí también hay nobles? Eso sin duda sería fantástico.

—Yo creo que... –vaciló Catalejo.

—Tú no creas nada –frenó su falta de entusiasmo y sus dudas–. Si hay un castillo hay un noble. Los castillos son para reyes, duques, marqueses, condes... ¡Faltaría más! ¿Quién va a vivir en él si no fuera así?

—No todos los reyes, marqueses, duques o condes son buena gente, mi señor –quiso insistir Catalejo.

—Anda, cállate, cállate, y pongámonos en marcha, no sea que aquí oscurezca antes. ¡No sabes cuanto necesito comida de veras, y una buena cama si es que hemos de pernoctar en este lugar! ¡Tú viviste en un isla, amigo, pero yo siempre lo he hecho rodeado de riqueza, lujo y bienestar, que para algo soy conde! –alzó su barbilla con dignidad.

Catalejo ya no dijo nada.

Lo quería, le servía incondicionalmente, pero en ocasiones...

Divisaron el castillo a la media hora, desde un remanso del riachuelo. De allí partía una senda ascendente que iba a morir en los alrededores de tan egregia forma.

Porque sin duda era un castillo muy notable.

Con altas torres de techado negro acabadas en punta, muros oscuros, ventanas diminutas.

Un castillo tan hermoso... como siniestro.

—¡Espléndido! –buscó, como siempre, el lado positivo el conde.

A Catalejo se le hizo un nudo en el estómago.

Iniciaron la subida, y a los cinco minutos, jadeando, llegó la primera protesta.

—¡Por qué no me traería la bicicleta!

Era el medio con el que mejor se desplazaba, tanto en palacio como por las calles del condado.

La parte final de la ascensión fue dura, tanto que Catalejo hizo notar:

—Es como si el dueño del castillo no quisiera recibir visitas... o buscara el modo de ser inexpugnable, ¿verdad, señor?

—¡Tú que sabrás! ¡Vamos, ayúdame! ¡Tira de mí!

Lo hizo, con el catalejo, para que se agarrara a él. El conde Letras aterrizó por fin en la explanada que rodeaba a la fortaleza, la cual, desde abajo, aún parecía más impresionante y oscura.

Tenebrosa.

—¡Por fin! –resopló el conde.

El puente levadizo estaba bajado, aunque en el foso no había agua, y la puerta abierta de par en par.

—Nos han visto subir, está claro –dijo el conde.

Sin embargo no hubo comité de bienvenida.

No hubo nada.

Los dos entraron en el castillo.

El interior sí era realmente oscuro.

—¿Oigan?

El eco hizo retumbar la voz.

—¿Hay alguien ahí?

Nada.

Silencio.

—Señor...

—¡Oh, Catalejo!, ¿quieres callarte?

—Espero que no me recrimine las cuatro palabras que más aborrece que le diga.

—¿Y cuáles son?

—Yo-se-lo-dije.

—Tenía que haber traído a Noticias conmigo. Por lo menos ella canta y baila.

Catalejo no se imaginó a Noticias cantando y bailando allí.

Se adentraron un poco más.

Pasaron por dos salas grandes y espaciosas, con escasos muebles, y llegaron a una que parecía el comedor, mucho más llena. Catalejo pasó una mano por encima de la madera y retiró los dedos manchados de polvo.

—Qué raro –dijo el conde sin reparar en el detalle–. No hay servidumbre, ni corte, ni...

—Señor, yo me iría.

—Tú eres un cobarde. Yo no –avanzó un poco más–. Puede que estén de excursión, o visitando a su rey en pleno, o que esta parte del palacio no se use, o que se trate de un noble venido a menos. Hay mil razones para justificar esto.

—Habrá mil razones pero sólo una realidad –se rindió el fiel Catalejo ante lo lúgubre del lugar.

Los dos se detuvieron delante de un gran retrato iluminado vagamente por la luz que penetraba de refilón por una de las ventanas. En él se veía a un caballero tocado con una capa, de mirada penetrante y con un monóculo en el ojo izquierdo, cabello negro pegado a la cabeza, nariz prominente y rostro muy pálido.

El rasgo que más destacaba, sin embargo, era el de los colmillos superiores, que caían como estiletes sobre las comisuras del labio inferior.

El conde Letras no pareció reparar en esto último, sino en el detalle del monóculo.

—Que elegancia –ponderó.

—Se-se-señor...

Las palabras de Catalejo murieron aplastadas por la voz que pareció surgir de todas partes, envolviéndoles.

—Bienvenidos.

Ahora sí, hasta el conde Letras se llevó un buen susto.

# CAPÍTULO VIII

## El Vampiro Literario

Era el mismo tipo del cuadro. El mismo, sin lugar a dudas. Aunque el retrato parecía muy antiguo, hecho decenas, cientos de años atrás. La única diferencia era que en él estaba muy serio y ahora, ante ellos, sonreía.

Casi con afabilidad.

—¿A qué debo el honor? –habló de nuevo con pomposa solemnidad.

El conde Letras se rehizo del susto. Al hablar lo hizo recuperando el tratamiento destinado a la nobleza, comprendiendo que se hallaba ante el amo del lugar.

—Perdone que hayamos irrumpido en su palacio, excelencia, pero al encontrar el portón bajado, la puerta abierta, y finalmente no dar con nadie que acudiera a nuestro reclamo...

—No importa, no importa –el dueño del castillo se le acercó.

Parecía tener los colmillos enrojecidos.

Y era bajito, pero con sus botas de altos tacones ganaba estatura.

—Permita que me presente –se inclinó el recién llegado–. Soy el conde Letras, y este es mi fiel servidor Catalejo.

—¡Conde! –expresó su sorpresa su anfitrión–. Extraordinario.

—¿Ha oído hablar de mí?

—No, pero sin duda es una coincidencia singular

—¿Por qué?

—Soy el conde Vampiro Literario –se inclinó a su vez con toda naturalidad.

—¡También conde, qué bien! –se alegró el conde Letras.

Catalejo fue el que reparó en el "otro" detalle.

—¿Va-va-vampiro? –tartamudeó.

—Catalejo, no seas grosero –le dio un codazo su señor.

—¡Oh, mi nombre, sí! –se echó a reír el caballero–. Hay personas que se llaman Segismundo, otras que simplemente se llaman Paz, y a mí me tocó heredar el de mi rancia y vieja familia, los Vampiro Literarios.

—Claro, Catalejo –continuó con su reproche el conde Letras–. Que te llames Hueso no significa que lo seas, ni que te llames Melón o Puerta o Barriga. ¡Ni tampoco por llamarte Dolores significa que sufras! Los nombres no dicen nada.

—Usted se llama Letras y es porque...

—¡Silencio!

El conde Vampiro Literario se acercó un poco más a su visitante.

—¿Por qué se llama Letras, si puede saberse?

—Soy muy... ilustrado –buscó una palabra lo más ambigua posible–. Me gustan las letras. Vea mi ropa, mi aspecto...

—Interesante.

—¿Verdad?

—Literario, Letras...

—Parecemos parientes.

—Es lo que estaba pensando. Quizás algún antepasado común... ¿De dónde son?

—Del otro lado de las montañas.

—Vaya.

—No sabíamos que de este lado hubiera nadie.

—¿Y han venido solos?

—Tenemos un ejército aquí mism...

Por poco y acaba con el catalejo dentro de la boca.

—No haga caso de mi sirviente. Está un poco cansado. Hemos pasado el día andando.

—¿Solos? –alzó las cejas el dueño del castillo.

—Sí.

—En tal caso, y puesto que anochecerá dentro de poco, serán mis huéspedes esta noche. Los caminos nunca son seguros cuando desaparece el Sol y llega la oscuridad.

—Agradezco su ofrecimiento –aceptó encantado el conde Letras.

—No hemos visto a casi nadie –consiguió decir Catalejo apartándose de su amo para que no volviera a darle un codazo–. Seguro que la ciudad está cerca y así no tendríamos que... mo... les... tar –fue enmudeciendo al encontrarse con la mirada enfadada de su señor.

—¡No se hable más! ¡Me encantará acogerlos en mi humilde morada! –le pasó una amigable mano al conde Letras por encima de los hombros para guiarlo y echó a andar–. ¿Puedo invitarlos a un cóctel de tinta?

—¿Un cóctel de... tinta? –le miró de reojo.

–¡Oh, es delicioso! –se estremeció el Vampiro Literario–. Yo sólo bebo tinta roja y negra. Una mezcla explosiva, ¡un néctar! También escribo con esa misma tinta, y con mis colmillos. Los recargo de noche y de día los utilizo a modo de Pluma. Tendrán hambre, ¿verdad?

—Eso sí.

—¿Alguna preferencia?

—¿Tiene... letras? –se rindió pensando que si su anfitrión bebía tinta, no le extrañaría que él comiera letras.

—¡Pues claro que tengo letras! ¿Algún libro en concreto? –el tono del hombre se hizo sibilino, casi pegajoso, mientras continuaba caminando y guiando a sus huéspedes por pasadizos cada vez más lóbregos y oscuros, iluminados débilmente por la luz de unas pocas velas.

Catalejo, a un paso por detrás de ellos, cogió su catalejo a modo de garrote, por si acaso.

—¡Uno que tenga la letra I mayúscula y la i minúscula en grandes cantidades! –suspiró hambriento mientras su estómago emitía un sonido muy característico–. ¿Es posible?

—¿Posible? ¡Tengo una bien surtida biblioteca! ¡Para mí será un placer servirte lo que deseas! ¡Estás en tu casa!

Bajaron unas escalinatas húmedas.

—¿Has visto?, ¡voy a probar por fin esa deliciosa i minúscula y esa fascinante I mayúscula! ¿No es fantástico? Y mañana ya buscaremos...

El conde Vampiro Literario se detuvo por fin frente a una puerta de madera muy gruesa, con barras de metal y una enorme llave incrustada en la cerradura.

—¡Pasen, pasen a mi egregia cocina! –les franqueó el paso como un buen anfitrión.

Primero lo hizo el conde Letras.

A continuación Catalejo.

Cuando los dos quisieron reaccionar, al darse cuenta de que aquello no era la cocina, sino la más abyecta y asquerosa de las mazmorras, era demasiado tarde.

La puerta se cerró a su espalda.

La llave giró en la cerradura.

El eco proyectó malignos sonidos por las catacumbas del castillo.

La voz del Vampiro Literario hizo el resto.

—¡Ah, estúpidos, ya son míos! ¡Míos!

La carcajada, y sus pasos alejándose de allí, les acabaron de sepultar bajo el peso de la realidad.

Habían caído en una trampa.

## CAPÍTULO IX

# Historieta

El conde Letras se quedó pasmado.

Mudo.

Fue Catalejo el que se plantó delante de la puerta y la aporreó con los puños cerrados sin éxito.

—¡Sáquenos de aquí o nuestro ejército derribará los muros de este castillo hasta reducirlo a un montón de escombros!

No tuvo ninguna respuesta.

—¿Señor? –se volvió hacia su amo.

—Sabe que estamos solos –se rindió él.

—¡Pero esto es...!

—Un ultraje, sí –lo reconoció con disgusto y pose afectada–. ¡Yo, el conde Letras, prisionero de un...!

—Un vampiro, sí, dígalo –asintió Catalejo–. Me alegro de que por fin se haya dado cuenta.

—Pues será mejor que no sigas ni digas tú lo que ya sabes.

—No digo nada, señor.

—Pero lo piensas.

—No pienso nada, señor.

—Sí, estás pensando lo de "Yo-se-lo-dije".

—No sea suspicaz.

Estaban atrapados, los dos, así que era mejor no discutir.

—¿Cómo saldremos de aquí? –el conde paseó la mirada por aquellas paredes mohosas, apenas visibles por la muy débil luz de un ventanuco que proyectaba más sombras que otra cosa a su alrededor.

Y pronto oscurecería.

—Me temo que no vamos a hacerlo –se dejó caer al suelo Catalejo, cuidando de que no le pasara nada a su catalejo–. Esta vez estamos atrapados.

—Cuando vean que no regresamos, enviarán una partida en nuestro rescate –se animó el noble.

—¿Qué partida, señor? –lamentó su fiel servidor actuando como voz de su conciencia–. En primer lugar, pasarán días antes de que eso suceda, pues otras veces sus viajes y aventuras le han mantenido por mucho más tiempo lejos de casa. Y en segundo lugar, ¿acaso cree que nos encontrarán? Además –el tono se hizo todavía más amargo–, aunque lo hagan, ya estaremos...

No quiso emplear la palabra.

—Entonces escaparemos –se animó el conde recuperando su buen tono y mejor disposición.

—¿Cómo? –se desesperó Catalejo.

Lo que menos esperaban era escuchar una nueva voz.

Pero así fue.

Provenía del lugar más oscuro de la mazmorra, y era muy dulce, femenina, como de niña.

—No hay escape –musitó.

Catalejo se puso nuevamente en pie, blandiendo el catalejo por si tenía que defender a su amo. El conde Letras escrutó las sombras sin éxito.

—¿Quien está ahí?

Se escuchó un rumor.

Unos pasos sobre las baldosas.

Y ante ellos apareció, ciertamente, una niña.

Llevaba capa, botas, un símbolo de diálogo sobre el pecho y la misma cabeza también lo era, sólo que al revés, pues el pelo subía en punta hacia un lado.

—¿Quién eres tú? –preguntó el conde Letras.

—Me llamo Historieta –dijo ella envuelta en su tristeza.

—¿Historieta?

—Estoy hecha de historias, dibujos… ¡Podía contar cientos de cuentos, y también mostrar sus imágenes! El vampiro me apresó y me está dejando día a día sin letras e ilustraciones. Voy a acabar convertida en un simple dibujo sin texto antes de que…

—¿De qué?

—¿Es que no lo entienden? –los miró a ambos sin preguntarles por qué uno llevaba corona y el cuerpo lleno de letras y el otro sólo tenía un ojo–. ¡El vampiro nos convertirá en tinta y nos beberá! ¡Está loco por la tinta fresca!

—No te preocupes –el conde llegó hasta ella y le puso una mano en la cabeza, justo al otro lado de donde tenía su pelo en pico, por si acaso pinchaba–. Nosotros no nos rendimos fácilmente, ¿verdad Catalejo?

—Así es, señor –dijo él aunque su voz no sonase nada convencida, para ayudar a que su amo levantara la moral de la niña.

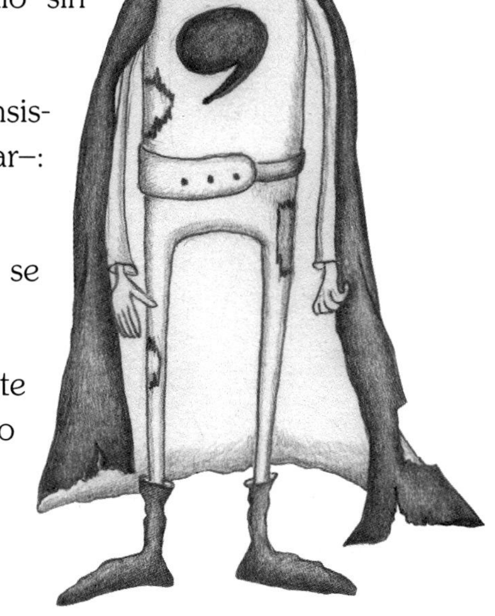

—Ahora somos tres, y tenemos a Catalejo –continuó el conde.

Su sirviente se puso pálido.

Historieta esbozó una muy tímida sonrisa.

—¿De veras...? –exhaló sin apenas aliento.

—Oh, sí. Ya lo verás –insistió el conde antes de agregar–: Vamos, Catalejo, haz algo.

—¿Yo? –la palidez se acentuó.

—Pues claro, para eso te he traído. No voy a hacerlo todo yo solo.

—Pe-pe-pero señor...

—Mira que te gusta discutir y poner trabas, ¿eh? Menudo viaje me estás dando.

—Creía que me traía para que viera de lejos y lo ayudara a buscar esa letra, no para actuar como un héroe.

—Te he traído para que me cuides y me salves, que es lo que toca ahora. Así que vamos, piensa algo. Historieta y yo esperamos, aunque será mejor que no tardes mucho. Aquí hay una humedad terrible para mis huesos.

Catalejo abrió la boca. No salió ningún sonido por ella y volvió a cerrarla.

—¿Buscas una letra? –Historieta miró al conde con curiosidad.

—Así es.

—¿Cuál?

—Una I, que es como un palo tieso, y si es minúscula, tiene un puntito arriba, a modo de sombrero.

—En la ciudad hay muchas de ellas.

—¿Villa Alphabética?

—Sí.

—¿A qué distancia está?

—A un día de camino.

—¿Lo ves, Catalejo? ¡Estamos cerca!

Su sirviente seguía turbado, con su único ojo fijo en el suelo.

—¿Aún no has dado con la forma de escaparnos? –lamentó el conde.

—Señor…

—¡Fíjate en los detalles, caramba!

—¿Qué detalles? –Catalejo miró a su alrededor.

—¡Tienes un ojo, y grande! –objetó el noble–. Tú fíjate.

Catalejo se fijó.

Las paredes, la humedad, el alto ventanuco, la puerta de gruesa madera reforzada con barras de hierro, la penumbra, su catalejo…

Su catalejo.

Tuvo un escalofrío.

Luego cerró el ojo y se quedó en silencio.

Ni siquiera fue capaz de escuchar la charla de Historieta y su amo, tan súbitamente animada que parecía que en lugar de estar donde estaban se hallasen en mitad de una merienda campestre.

A veces su señor era tan inocente...

# CAPÍTULO X

## El arma infalible de Catalejo

Sobre todo por la sed, el hambre y el frío.

No tuvieron más remedio que dormir allí, los tres, bastante apretados y arrebujados, para no congelarse. Catalejo jamás se hubiera imaginado durmiendo con su señor. El conde Letras jamás se hubiera imaginado durmiendo con Catalejo y con una niña desconocida. La niña en cambio cerró los ojos, abrazada al conde y a Catalejo, y hasta roncó de felicidad.

Sí, fue una noche muy larga.

Al amanecer estaban ateridos, con las articulaciones anquilosadas y la sensación de que si se veían obligados a pasar otra noche en semejantes condiciones, no lo resistirían.

El ojo de Catalejo estaba expectante.

Los dos del conde de muy mal humor.

—¿Cada cuando viene por aquí el Vampiro Literario? –le preguntó a Historieta.

—Depende del hambre que tenga.

—Pues que bien.

Hicieron un poco de ejercicio, para estirar los músculos. Era la primera vez que Catalejo veía hacer eso a su amo, que siempre se esforzaba lo mínimo porque para algo disponía de todos los sirvientes de su palacio. Tampoco es que exagerara. Unas flexiones y listos.

Fue el momento en que anunció lleno de buen humor:

—Bueno, vamos a salir de aquí.

Catalejo e Historieta le miraron como si se hubiese vuelto loco.

—Ya que tú no haces nada... –le reprochó a su compañero de aventura.

—Caramba, mi señor, yo sólo soy un cíclope.

—En las novelas los cíclopes son entes poderosos.

—En las novelas, sí –musitó con tristeza Catalejo.

—¿Qué se te ha ocurrido? –le preguntó Historieta al orondo conde.

—Voy a llamar al Vampiro Literario –manifestó mirando a Catalejo–. En cuanto abra la puerta le saltas encima.

—¿Yo? –el ojo se le dilató aún más.

—Sí, tú, ¡no voy a hacerlo todo solo! Podría –matizó–, pero no quiero. Soy un conde –y elevó la barbilla para que quedara muy claro.

—Nunca me he peleado con nadie –susurró abatido Catalejo.

—Pues ya va siendo hora, hombre. A grandes males, grandes remedios, y no me digas que éste no es el peor mal en el que nos hemos visto.

—Eso sí.

—Pues ya está. Y si es necesario, Historieta te ayudará.

—¿Yo? –le tocó el turno a la niña.

—Pues claro. ¡Somos tres! Si quieres escaparte, has de colaborar. ¿No has oído hablar de todo eso de que la unión hace la fuerza, y que trabajando en equipo se consiguen mejor las cosas, y que dos son compañía pero tres son multitud...?

Catalejo no estaba muy seguro de que eso último tuviera que ver con lo que decía el señor conde.

—Sí –asintió Historieta.

—Entonces no hay más que hablar –y plantándose delante de la puerta gritó–: ¡Vampiro! ¡Vampiro Literario!

Ya estaba comprometida.

Sin marcha atrás.

Pasó un minuto.

—¡Señor Vampiro Literario! –volvió a gritar el conde Letras–. ¡Venga, ya, que no tenemos todo el día! ¿Es que no nos oye? ¿Acaso nos tiene miedo? ¡U-hu! –y entonces cantó–: ¡Se-ñor-con-de-Vam-pi-ro-Li-te-ra-rio-o!

Esta vez no pasó otro minuto.

Se abrió una trampilla en la puerta y por el hueco apareció la rubicunda faz de su captor, con el cabello engominado y pegado a la cabeza, el monóculo, los colmillos brillantes y rojos, como si acabase de beberse un licuado de tinta del mismo color.

—¿Qué pasa? –protestó–. ¿Se puede saber a qué viene este escándalo! ¡Los prisioneros tienen miedo, así que están callados, o lloran, o gritan de pavor, pero no cantan! ¡Silencio! ¡Van a despertar a todo el mundo!

Esto último les chocó, porque era evidente que vivía solo en su castillo.

—He decidido pactar con usted –dijo el conde Letras.

—¿Pactar? ¡No pueden pactar nada! ¡Son mis prisioneros! –se enfureció el Vampiro Literario.

—Puedo darle algo que le gusta mucho, y que podría derramar aquí mismo y echarlo a perder.

—¿Derramar? ¿Qué pueden derramar?

—No nos registró anoche –el conde Letras cabalgó sobre las puntillas de sus zapatos.

El conde Vampiro Literario frunció el ceño.

En el calabozo, y pese a que ya había amanecido, persistía la penumbra.

—¿De qué está hablando? –mordió el anzuelo.

—Tengo tinta.

Los ojos de su carcelero vibraron.

—Mientes.

—Un conde no miente nunca, deberías saberlo –cruzó los dedos de las dos manos por detrás de la espalda.

—¿Dónde se supone que llevas la tinta? –lo observó más atentamente el dueño del castillo.

—Debajo de la corona –mantuvo los dedos cruzados–. Un noble nunca sabe cuando habrá de firmar un edicto o proclamar una ley. Hay que andar prevenido.

—Enséñamela.

Ya estaba preparado. Le mostró su propio monóculo entre las manos.

Tal y como esperaba, el conde Vampiro Literario forzó la vista para ver si aquello era lo que decía su prisionero. En la penumbra, interpretó que aquello bien podía ser lo que decía. Algo redondo, brillante, igual que un recipiente conteniendo tinta.

Se pasó la lengua por los labios.

Sus colmillos crecieron un poco más.

—Es de color negro –le provocó también un poco más el conde Letras.

Fue definitivo.

—¡Aléjense de la puerta y pónganse contra la pared! ¡Y tú, deja la tinta en el suelo!

–Espero que su trato sea mejor después de esto –quiso negociar el conde Letras–. Nos dará comida y agua, ¿de acuerdo?

–¡Sí, sí! ¡Contra la pared, vamos!

–Júrelo.

Tenía que parecer que negociaba, porque de lo contrario sospecharía. ¿A santo de qué le daba la tinta sin pedirle nada a cambio?

—¡Lo juro! ¡Vamos, deja la tinta en el suelo y aléjate!

El conde Letras depositó su monóculo en el suelo, en una parte oscura. Luego se apartó. Historieta estaba expectante. Catalejo temblando.

La llave giró en la cerradura.

Se abrió la puerta.

El Vampiro Literario entró en la celda.

Un paso. Dos.

Se agachó para recoger el supuesto recipiente de la tinta.

—¡Ahora, Catalejo, ahora!

Todo fue muy rápido.

Su captor se enderezó de golpe, tanto porque acababa de ver que aquello no era más que un monóculo como por el grito del conde Letras. Catalejo intentó echarse sobre el vampiro, pero no pudo.

Tenía los pies clavados en el suelo y el corazón encogido.

—¡Catalejooo!

El dueño del castillo inició la retirada.

Si llegaba a la puerta y la cerraba, todo habría terminado.

Se pudrirían en aquella mazmorra y acabarían secos.

—¡¡¡Catalejooooo!!! –volvió a gritar el conde Letras.

Y Catalejo reaccionó.

No le saltó encima. No peleó con él con los puños. Lo único que hizo fue arrearle un soberano catalejazo que lo dejó seco (al vampiro, no al catalejo, pues éste quedó chueco).

¡Boing!

El conde Vampiro Literario cayó de bruces inconsciente.

—¡Bien hecho, Catalejo! –gritó feliz su amo–. ¡No esperaba menos de ti! Ahora... ¡a correr!

Fue el primero en salir por la puerta.

De no haber sido por Historieta, que le tomó de la mano y tiró de él, Catalejo habría sido incapaz de moverse.

Como si estuviera clavado en el suelo.

## CAPÍTULO XI

# La bruja de las letras

Corrieron.

Vaya si corrieron.

Por los pasillos, escaleras arriba, por las salas y los salones, buscando la puerta del castillo. Y cuando llegaron a ella y cruzaron el puente levadizo, corrieron más, porque iban cuesta abajo. Un par de veces estuvo el conde a punto de tropezar y hacer el resto de la pendiente rodando como una pelota. Catalejo, ya recuperado del impacto causado por su heroicidad, jamás había visto correr tanto a su señor, con las suelas de los zapatos en sus muy nobles posaderas, jadeando, con la corona de lado y sus atributos un tanto arrugados y arruinados.

No se detuvieron hasta llegar al río.

Entonces se dejaron caer al suelo, derrengados.

Nadie habló en unos minutos.

—¡Estamos a salvo! –gritó de pronto Historieta.

—Es que cuando yo hago un plan... –se jactó el conde Letras.

—Catalejo lo ha hecho muy bien –la niña le sonrió al cíclope.

—Faltaría más –sacó el pecho por él su amo–. Por eso lo traigo conmigo. De todas formas... –miró a su servidor y acabó sonriendo con afecto antes de agregar–: Bien hecho, Catalejo.

—Gracias, señor –se sintió orgulloso él.

Por desgracia su rostro se entristeció de nuevo al reparar en su catalejo. Ya no estaba recto. Ahora formaba un ángulo de casi noventa grados a causa del impacto con la sesera del Vampiro Literario.

—No te preocupes, encontraremos otro –le prometió el conde.

—Siempre lo he llevado conmigo. Pasó de padres a hijos hasta llegar a mí.

—Pues lo arreglaremos, hombre –insistió.

—Lo malo es que no podré ver nada antes de eso.

Sin su catalejo, Catalejo era igual que un niño desnudo.

Y desde luego para encontrar lo que buscaban...

—Bueno, hay que ser optimistas –se levantó el primero el conde Letras, dispuesto a continuar–. Pongámonos en marcha.

—Yo estoy agotada –dijo Historieta–. Y hambrienta.

—Lo mismo digo –afirmó Catalejo.

—Lo primero, encontrar comida –manifestó resuelto el conde.

Reemprendieron la marcha después de saciar su sed en el riachuelo. Por suerte llevaban a Historieta. Durante la siguiente media hora se encontraron varias veces con que la corriente se dividía en dos, o en tres ramales, y ella supo guiarles siempre en dirección a la ciudad. El riachuelo pronto se convirtió en río, con más agua y las orillas más separadas, aunque parecía que sin excesiva profundidad. Un par de veces Catalejo le hizo notar a la niña que de algunos de los árboles colgaban frutos de apariencia apetitosa, pero la niña le dijo que unos no eran dulces, otros eran amargos, y otros más producían reacciones secundarias, como somnolencia, dolor de estómago o... flatulencia.

El conde Letras necesitaba un buen libro.

¡Oh, sí!

Al poco tiempo divisaron una columna de humo a su izquierda.

–¡Una casa! –gritó Historieta.

–¡Comida! –suspiró Catalejo.

—¡Letras! –se animó el conde.

—No todo el mundo tiene libros en su casa, señor –le indicó Catalejo con poco tacto.

Su amo lo fulminó con la mirada.

Se internaron por la espesura hasta llegar a la linde de un calvero natural en cuyo centro se alzaba una cabaña de madera. Por la chimenea surgía una columna de humo cuyo aroma les hizo agua la boca. Se escuchó un triple rugido producido por las respectivas tripas.

—Menos mal –exhaló el conde.

Y dio un primer paso, resuelto, hacia la cabaña.

—Señor...

—Será mejor mirar primero por la ventana –sugirió Historieta alcanzando al conde y tirando de su mano–. Ya viste lo que pasó en el castillo.

A regañadientes, con las tripas alborotadas, hizo lo que le decía la niña. Los tres atisbaron el interior de la cabaña por una de las ventanas.

Lo que vieron les acabó de fastidiar la esperanza.

Una auténtica bruja, con cara de bruja, vestido de bruja, gorro de bruja y caldero de bruja, estaba cocinando algo sobre unas brasas enrojecidas.

No hizo falta preguntar nada.

—¡Es la bruja de las letras! –balbuceó impresionada Historieta–. ¡Había oído hablar de ella pero nunca la había visto en persona!

—¿Y por qué se llama así? –cuchicheó el conde.

—¡Porque cocina letras!, ¿no lo ves?

Cierto, por entre la olla con la sopa en ebullición, de pronto saltaron algunas letras confundidas con el vapor. Eso hizo que el estómago del conde acentuara su protesta.

—Deja los libros vacíos –continuó Historieta–. Sin ni una sola letra, ilegibles. Todo el mundo la teme en este valle y en Villa Alphabética. Además, dicen que habla de una forma muy rara.

Por tercera vez el estómago del conde crujió.

Y en ésta oportunidad lo hizo con una contundencia y sonoridad que más pareció que por allí fuera a descargar una tormenta.

La bruja miró hacia la ventana.

No les dio tiempo a esconderse.

—Oh coma vamos coma pasen coma pasen –les dijo sin inmutarse y sin dejar de remover el caldero con el palo–. Interrogante o van a quedarse ahí con acento todo el día con acento interrogante.

## CAPÍTULO XII

# Una invitación a comer

No la entendieron demasiado bien.

Pero desde luego les estaba diciendo que entraran.

Y, como si estuvieran hipnotizados, la obedecieron.

Mientras caminaban hacia la puerta, Catalejo le preguntó a Historieta:

—¿Por qué habla así?

—Pronuncia todos los signos aparte, y ya ves que les da una sonoridad propia. Dice que en un libro los signos, las comas, los puntos, los interrogantes, los acentos, se ven, pero que al hablar no, y ella quiere defenderlos y darles una voz propia.

—¿Está loca?

—¡Sssh...! –se estremeció la niña–. ¡Como te oiga decir eso...?

—Yo sólo sé que tengo hambre –gimió el conde Letras.

Fue él quien abrió la puerta.

La bruja continuaba removiendo el caldero. Su vestido también estaba lleno de letras, como el del conde. Nada más verlo... no ocultó un brillo en la mirada.

—Lo va a dejar sin letras, señor –le advirtió Catalejo.

Pero su amo no lo escuchó. Sólo tenía ojos para la sopa que se cocinaba en el caldero.

—Interrogante quienes son interrogante –preguntó la dueña de la cabaña.

—¿Cómo dices? –vaciló el conde Letras, que no había escuchado demasiado bien las explicaciones de Historieta a Catalejo sobre la personalidad de la bruja.

—Interrogante es que no hablo claro interrogante –se extrañó la mujer.

—Lo correcto es decir: "¿Quién eres tú?", o "¿Es que no hablo claro?" –puntualizó el conde.

—Admiración lo correcto es hablar bien y nada más con acento admiración si la gente hablara así con acento los niños no harían con acento tantas faltas punto.

Al conde se le desencajó la mandíbula.

Costaba mucho entenderla, aunque, quizás, en cuanto le agarrara el modo...

—Esto va a ser muy complicado –le dijo a Catalejo.

—Interrogante vas a responderme o no interrogante –insistió la bruja.

—¡Soy el conde Letras! –se presentó con pomposidad.

—Nunca he oído con acento hablar de ti punto.

—Vengo de muy lejos.

—Interrogante qué con acento tan lejos interrogante.

—Del otro lado de las montañas de la Luna... Bueno, del Sol, que es como las llaman por este lado.

La bruja alzó las cejas.

—Interrogante se ha abierto un paso interrogante.

—Cuidado, conde –susurró Historieta–. Como se vaya de visita a tu país...

No quiso ni imaginarlo.

¡Los libros vacíos, sin letras!

¡Ah, no!

—Interrogante cómo con acento interrogante.

—No se lo digas –cuchicheó Catalejo temiendo por el globo.

—Somos poderosos magos –dijo el conde.

La bruja los estudió a los tres. Un cíclope, una niña extraña y un noble no menos extravagante.

Podían estar locos.

O no.

—Interrogante quieren con acento quedarse a comer interrogante.

El nuevo crujido del estómago del conde habló por él antes de que lo hiciera su voz.

—Sí, sí... ¡oh, sí! Estamos hambrientos... –se acercó al caldero sin poderlo evitar.

—Tengo sopa de letras coma librillos de letras coma y de postre pastelillos de letras variadas al chocolate punto se chuparán con acento los dedos punto.

—Señor...

—Cállate, Catalejo.

—Es que...

Las miradas fulminantes del conde eran cada vez más fulminantes.

Catalejo enmudeció.

—Siéntense a la mesa punto les serviré de inmediato punto –dijo la bruja.

Se acercaron a la mesa. El conde Letras inspeccionó antes unos libros apilados en el suelo. Historieta tenía razón: no quedaba en ninguno de ellos una sola letra, ni en el interior ni en la portada o el lomo.

Bueno, a fin de cuentas la bruja y él eran parecidos.

Comían letras.

Si no fuera una bruja hasta podría haberse casado con ella.

La idea le hizo estremecer.

—Esto ya está con acento coma –dijo la mujer–. Interrogante les apetece una refrescante bebida de números con acento al limón con acento interrogante.

—¡Oh, sí, sí, gracias! –lo aceptó el conde.

Sólo Historieta se dio cuenta de que, en la bebida, la bruja echaba unos polvos. El conde seguía escrutando el lugar, y Catalejo no le perdía de vista a él, dispuesto siempre a servirle.

La niña no supo qué hacer.

—Admiración a la mesa admiración –dejó de remover la sopa ella mientras cogía cuatro platos de una estantería.

—Catalejo –Historieta se acercó al cíclope–. Hemos de irnos de aquí cuanto antes.

—Sí, ¿verdad? –estuvo de acuerdo él.

—La bruja ha echado unos polvos en la bebida.

—¡Ay!

—No hay tiempo de advertir al conde, se pondría a discutir, y con el hambre que tiene... Hemos de cogerlo cada uno de una mano y tirar.

La bruja ya les traía la bebida.

—Ahora, Catalejo.

Historieta le agarró por la izquierda. Catalejo por la derecha. Los dos empujaron de lo lindo al desguarnecido conde, que se vio arrastrado en dirección a la puerta sin apenas tener tiempo de reaccionar.

—¿Pero qué...?

La bruja se dio cuenta de lo que sucedía.

¡Se le escapaban!

—Admiración no admiración –gritó de pronto.

—¡Corre, señor! –chilló Catalejo.

El conde Letras miró hacia atrás. Lo que vio no le gustó nada. La cara de la bruja se había transfigurado. Si antes ya no era ni mucho menos atractiva, ahora se acababa de convertir en un verdadero adefesio. Cada arruga parecía una sima terrorífica. Los ojos estaban orlados de rojo y la nariz y la mandíbula inferior casi se tocaban en la punta. Las manos se habían convertido en garras.

—Admiración letras admiración admiración letras admiración admiración las quiero admiración –intentó atrapar la ropa del conde.

Ya estaban en el exterior. No hizo falta que Historieta y Catalejo tiraran más de él. El conde volvió a correr tan rápido como en la escapada del castillo del Vampiro Literario al darse cuenta de las intenciones de la bruja.

¡vo!

—Admiración vuelvan admiración –bramó ella vencida.

—¿Y si tiene una escoba y vuela por el aire? –se asustó Catalejo.

—¿Y si nos manda un hechizo y nos convierte en ratas? –se asustó Historieta.

—¡Aaah...! –redobló sus ímpetus escapatorios el conde.

No sucedió nada de todo eso.

Claro que tampoco se detuvieron a comprobarlo.

Llegaron al río de una pieza y continuaron por él, hasta caer nuevamente agotados por la segunda carrera del día bastante después.

No eran ratas.

Ninguna escoba les sobrevolaba.

Y seguían con el estómago vacío.

—¡Es que aquí todos están locos! –protestó vehemente el conde Letras, que empezaba a estar bastante harto de su expedición en busca de la letra i.

## CAPÍTULO XIII

# El forzudo del río

No tuvieron más remedio que comer algunos frutos seleccionados por Historieta. Al conde le dio mucho asco, una vez más, pero el hambre acuciaba.

—¡Tenías que haber traído comida! –le dijo a Catalejo.

—La expedición la planeó usted –se defendió su servidor, que después de tantas peripecias empezaba a sacar el genio.

—¡Catalejo!

—Tiene razón –lo defendió la niña–. La responsabilidad siempre es de los que mandan.

El conde abrió la boca para decir algo.

Volvió a cerrarla.

Luego se enfurruñó y desapareció unos minutos tras unas matas.

Lo que hacía allí estaba muy claro.

Cuando reemprendieron la marcha lo hicieron en silencio, cansados y de muy mal humor, aunque Historieta, que se recuperaba rápido dada su juventud, intentó animarles contándoles cosas. Poco a poco el río acabó convirtiéndose en una gran corriente de agua, muy ancha de orilla a orilla.

—Hemos de cruzar el río en cuanto podamos –les informó la niña–. Villa Alphabética está al otro lado.

Cruzar el río.

El conde Letras no sabía nadar.

Eso acabó de fundirle el ánimo.

Como no construyeran una barca...

Caminaron un trecho más, buscando un puente o el lugar más idóneo para vadearlo. No tenían ni idea de la profundidad de las aguas.

—¿Por qué no pasamos al otro lado antes, cuando no era más que un riachuelo? –protestó el conde.

Su malintencionada pregunta se quedó sin respuesta.

—¡Allí, señor! –indicó un punto en la distancia Catalejo.

Por lo menos, ya que el catalejo seguía doblado, su único ojo tenía muy buena vista.

—Parece un hombre –forzó la suya Historieta.

Ya no se fiaban de nadie, así que caminaron despacio, ocultándose entre los árboles y la maleza, hasta acercarse lo suficiente al desconocido, que estaba sentado en la orilla del río.

Su aspecto no podía ser más inusual.

Llevaba un traje de una sola pieza, amarillo a rayas negras, o negro a rayas amarillas, sin mangas, y bajo su calva incipiente lucía unos rubicundos mostachos con las puntas dobladas. Parecía un luchador, o por lo menos una persona forzuda.

No supieron qué hacer.

—No podemos continuar río abajo, porque aquí se desvía el curso y la ciudad queda al otro lado, junto al lago. Este hombre está en el último lugar por el que podemos cruzar –dijo Historieta.

—No parece mala persona –opinó Catalejo.

—Entonces ve y pregúntale –ordenó el conde.

—Bueno –se dispuso a obedecerle su fiel servidor.

—¡Eh! –trató de detenerlo la niña.

No pudo hacerlo. Los dos vieron cómo Catalejo caminaba en dirección al hombre de amarillo y negro hasta detenerse a su lado. Al ver una presencia humana junto a él ni siquiera se sorprendió, al contrario. Se puso en pie sonriendo y vieron como intercambiaba unas pocas palabras con el cíclope. Tampoco mostró extrañeza por ese detalle. Acto seguido, Catalejo les hizo una seña para que se aproximaran.

El conde Letras e Historieta salieron de su escondite.

—Es un levantador de pesas de un circo que pasó por aquí y se disolvió –les informó–. Como se quedó sin trabajo, decidió instalarse en este lugar para pasar a la gente de un lado a otro del río.

El conde alzó las cejas.

—¿En serio?

—Dice que es un trabajo apasionante, y que le permite conocer a mucha gente –redondeó su explicación Catalejo.

El conde Letras miró a derecha e izquierda.

Aquel era el lugar más deshabitado del mundo.

—Hola, ¿cómo están? –el forzudo les sonrió con cara de buena persona–. Encantado de conocerles.

El conde no tuvo más remedio que estrecharle la mano que le tendía. No iba a ponerse noble en momentos así.

—¿Cuánto cobra por llevarnos al otro lado del río? –se interesó.

—¿Tienen dinero?

—No.

El conde nunca llevaba dinero encima, claro.

Eso hubiera sido una vulgaridad.

—Entonces suelo cobrar un cuento.

—¿Un… cuento?

—¡Me encantan los cuentos, y hoy en día casi nadie sabe muchos!

El conde Letras miró a Catalejo.

—Yo tampoco sé ninguno, señor.

—Lo que faltaba –se enfurruñó.

—Yo sí sé –dijo la niña–. Por algo me llamo Historieta.

—¡Qué bien! –se dispuso a escucharlo el fortachón.

—¿Cobra por adelantado? –preguntó el conde.

—Por supuesto. Soy forzudo pero no tonto.

—A este paso no llegaremos nunca y tendremos que pasar más noches aquí –suspiró revelando lo más digno de su porte.

—Señor...

—Calma, calma, Catalejo.

Ellos también se sentaron para escuchar el cuento de Historieta.

Y lo cierto es que no estaba nada mal.

A los diez segundos el conde y Catalejo, lo mismo que el forzudo, la escuchaban con toda atención.

Hablaba de una gota de lluvia que tenía vértigo y no quería saltar de su nube, alegando que se estrellaría contra el suelo. La nube intentaba vencer su resistencia sin éxito. Finalmente, al sobrevolar unas montañas nevadas, la nube la convencía de que saltara prometiéndole que, si lo hacía en ese momento, no sólo no se rompería contra el suelo sino que viviría para siempre. La gota, confiaba en ella, saltaba, y a medio camino se convertía en un copo de nieve que caía de forma suave en la cumbre helada donde, en efecto, la aguardaba un largo futuro lleno de paz.

Al acabar su narración aplaudieron todos.

—¿Sabes muchas historias? –le preguntó el forzudo.

—Cientos, miles –sonrió Historieta.

—Qué suerte –el hombre bajo la vista al suelo triste–. Lo que daría yo por oírlas. Pero aquí, siempre solo...

—Bueno, hemos de irnos –se levantó el conde Letras.

—¡Oh, sí, claro! –le secundó el musculoso caballero.

Llegaron a la orilla y cargó con ellos. Literalmente. La dignidad del conde se vio seriamente dañada pero no tuvo más remedio que resignarse. Por lo menos él fue colocado sobre los hombros de la ex atracción circense. Catalejo e Historieta fueron a parar uno debajo de cada brazo.

—¡Adelante!

El forzudo se internó por el río.

A los pocos pasos vieron que el agua no le llegaba más que a la mitad de las piernas, justo por debajo de las rodillas.

—¡Pero si no cubre! –exclamó el conde.

—Yo no he dicho que cubriera.

—Sin embargo...

—¿Quieres seguir tú solo?

—¿Y mojarme los pies? ¡Ni hablar! Sigue, que ya te hemos pagado.

Cuando alcanzaron la otra orilla descendió con cuidado de la espalda de su transporte mientras él depositaba a Catalejo y a Historieta en el suelo. El camino hacia Villa Alphabética quedaba finalmente expedito.

Hora de continuar.

—Yo me quedo aquí –dijo entonces la niña.

—¿Por qué? –preguntó el cíclope.

—Vivo sola –le confesó–. Y este señor necesita compañía, y que alguien le cuente cuentos, pues sabe apreciarlos.

—Nosotros también, ¿verdad, señor?

—Podrías venir a mi palacio –se rindió a la evidencia el conde–. Harías buenas migas con Noticias.

—Ustedes se tienen el uno al otro –sonrió con dulzura–. Forman una muy buena pareja de amigos –Catalejo se puso rojo al ver cómo ella le ascendía de categoría, o lo que era lo mismo, rebajaba la del conde–. En cambio él también está solo, como yo –señaló al fortachón–. Además, ésta es mi casa. Prefiero quedarme.

Primero abrazó a Catalejo y le dio un beso en la mejilla. Luego hizo lo mismo con el conde, que también acabó poniéndose rojo. Nadie solía besarlo en palacio.

Y lo cierto es que era muy agradable.

—Adiós –se despidió Historieta.

—Adiós –le dijeron al alimón.

—¡Que tengan buen viaje! –les deseó el forzudo–. Estaremos aquí si regresan por el mismo camino.

El regreso.

El conde Letras se estremeció.

Ni siquiera habían llegado a su destino.

## CAPÍTULO XIV

# La locura de Nuevas Voces

Ya no tardaron en divisar la ciudad. Lo hicieron al coronar una loma de la cual partía el sendero final. Villa Alphabética no era muy grande, apenas un puñado de casas arracimadas en torno a un sector del lago que habían visto desde el globo. Los árboles eran tan altos y la vegetación tan espesa, que por esa razón no distinguieron las edificaciones, de una sola planta, confundidas casi con la propia naturaleza.

Como mucho podía haber poco más de cien casas, doscientas con suerte contando con que algunas pudieran estar algo más alejadas o camufladas.

—Bueno, por fin –manifestó el conde Letras.

Bajaron de la loma despacio. No se veía a nadie, pero quizás alguien sí les viera a ellos, y era mejor ser prevenidos. Hasta ahora les había pasado de todo.

Y con el Vampiro Literario y la bruja...

Antes de entrar en la ciudad debían de cruzar un puente.

Un hermoso puente de piedra.

Allí apareció el siguiente personaje de su camino.

No era menos singular que los otros, el minero, el castor, el ogro, el forzudo o la propia Historieta, amén de la bruja y el bebedor de tinta roja y negra. Tenía la piel negra, llevaba un pañuelo en la frente, vestía de rojo y amarillo, muy llamativamente, sostenía un micrófono y su enmarañada cabellera, que le orlaba la cabeza por completo, estaba tan repleta de letras como los lados de la del conde.

Claro que aquella era mucho más abundante.

Espesa y caótica.

—¡Hola, hola, hola... hooo-la! –cantó el aparecido.

Porque realmente... cantaba.

—Hola –reaccionó Catalejo protegiendo a su señor por si aquel tipo estaba loco.

—¿Quiénes son, de dónde han salido? Respondan a este buen personaje.

Sólo le faltaba bailar a su alrededor, como hacía Noticias.

—Somos extranjeros –habló de nuevo Catalejo.

—Entonces han acertado, me tienen de su parte. Yo soy su guía local, un experto sin igual y muy, muy, muy geniaaal...

Cada frase la entonaba con un ritmo distinto.

Hubiera resultado gracioso de no ser porque habían pasado la noche en una mazmorra y comido frutos asquerosos como único alimento.

—No queremos un guía –intentó zafarse Catalejo, temeroso de la reacción de su señor.

—Tampoco hay mucho por enseñar, aunque se permite soñar. Pero el lugar es un laberinto que hace que me ponga pinto. Les ofrezco ayuda cabal, sin parecer animal. Nuevas Voces me llamo y soy libre sin amo.

El conde Letras ya no pudo más.

—¡Quieres dejar de cantar y hacer rimas estúpidas!

—¿Es... túpidas? –un espasmo de dolor y tristeza lo atravesó hasta casi el desmayo–. Oh...

—Es que estamos cansados por el viaje –intercedió Catalejo.

—Yo... soy un artista... –tuvo que apoyarse en la balaustrada del puente porque parecía próximo al desmayo–. Nadie me había dicho... jamás, jamás, jamás, que mis rimas fueran... estúpidas.

—No son estúpidas. Hay que apreciar tu música, eso es todo. Lo que pasa es que aquí, en mitad de un puente, y estando tan cansados... El señor conde...

—¿Es un conde? –se sorprendió Nuevas Voces.

—El conde Letras, sí –siguió llevando el peso de la conversación Catalejo.

—¿Y qué hacen por aquí?

—Buscamos una letra. ¿Puedes ayudarnos? –rugió de nuevo la voz del noble.

Nuevas Voces se sujetó el pelo, por si el vozarrón del coronado le despeinaba.

—¿Qué... clase de letra? –se agarró a su micrófono.

—Una I. Es como un palo tieso si es mayúscula y lleva un puntito a modo de sombrero si es minúscula.

—¿Son coleccionistas?

—Sí –se apresuró a manifestar Catalejo–. Eso mismo, coleccionistas.

—Entonces tienen que ver al Maestro Pluma.

—¿Quién es el Maestro Pluma?

—El mayor creador de letras de estas tierras. Todas las que existen las ha hecho él. Bueno, prácticamente.

Iban avanzando.

El Maestro Pluma.

Hasta el conde suavizó su expresión y el tono de su voz.

—¿Dónde vive el Maestro Pluma? –preguntó recuperando cierta afabilidad.

—No lo sé.

—¿Que... no lo sabes?

—No.

—¡Menudo guía! –volvió a tronar su mal genio.

—No, esperen, esperen... –les calmó Nuevas Voces–. Aquí la gente es reservada, y a veces muy rara.

—¿Nos lo dices o nos lo cuentas? –se cruzó de brazos el conde recordando la retahíla de personajes encontrados por el camino.

—Quiero decir que el Maestro Pluma no tiene una casa en concreto. Es un ente libre. Puede estar creando sus maravillosas letras en cualquier parte, allá donde le lleve su inspiración.

—¿Y qué hemos de hacer, ir de un lado para otro preguntando hasta que tengamos suerte? –rugió el conde.

Hasta Catalejo se sintió desanimado.

—No –Nuevas Voces cogió el micrófono con la mano izquierda y les tranquilizó con la derecha, poniendo la palma hacia adelante–. Si quieren dar con el Maestro Pluma lo mejor sería hablar con el Mago Pulpo.

—¿Un... pulpo?

—Es un humano, pero tiene seis brazos. Por eso se le llama el Mago Pulpo. Saca conejos de su chistera y esas cosas. Es muy bueno.

—De acuerdo –se rindió el conde–. Vayamos a ver al Mago Pulpo.

Intentó seguir andando.

—No... sé... dónde vive –articuló despacio Nuevas Voces.

—Señor, cálmese –le recomendó Catalejo.

—Una vez se hizo desaparecer a sí mismo, y ahora aparece y desaparece sin más, porque aún no ha hallado la forma de... estabilizarse –se notaba que le costaba hablar sin cantar o rimar–. Pero en estos casos lo idóneo es dar con el inspector Valeriano, nuestro sagaz detective.

—No sé si preguntar... –vaciló el conde.

—Pregunta, pregunta –le animó Nuevas Voces.

—¿Sabes dónde vive el inspector Valeriano?

—No, tampoco lo sé.

—¡¡¡Aaah...!!!

Quiso estrangularlo. Catalejo logró interponerse entre él y su objetivo. Nuevas Voces lo aprovechó para explicarse.

—¡Es un defensor de la ley, y ha de cuidarse, preservando su identidad, no sea que los malos quisieran hacerle daño!

—¿Hay malos por aquí? –siguió tratando de evadir a Catalejo.

—No, ninguno; pero con estos tiempos que corren, el día menos pensado...

—¿Y a quién buscamos para que dé con el inspector Valeriano para que dé con el Mago Pulpo para que dé con el Maestro Pluma? –preguntó Catalejo.

—Ni idea –se encogió de hombros antes de recuperar su tono cantarín–. Yo soy un artista. ¡Puedo hacer cientos de voces, y cantar cualquier canción, evitar todas las coces y rimar poro-pom-pom-pon!

Ahora el que pareció a punto de saltarle a la yugular fue Catalejo.

Contó hasta diez.

—Será mejor que sigamos, señor.

El conde Letras contaba hasta cien. Por lo menos.

—Sí, será mejor.

Dejaron a Nuevas Voces atrás y acabaron de cruzar el puente.

Su canción llegó hasta ellos.

Mala, mala, mala.

—¡Sé rimar amooor con dolooor, sé cantar con toooda alegríiiiia, y evitar que caiga en sopooor, hasta la pesada de tu tíiiiia!

## CAPÍTULO XV

# El inefable inspector Valeriano

Villa Alphabética parecía desértica.

Ni un alma por sus calles.

Nadie a quién preguntar.

—Lo que faltaba –rezongó el conde Letras poniéndose bien la corona para recobrar su prestancia y su nobleza, aunque con la ropa y la capa tan arrugadas eso ya fuera harto difícil.

—Sugiero que llamemos a la primera puerta que encontremos, señor –propuso Catalejo.

—Estoy de acuerdo.

La primera puerta era, obviamente, la de la primera casa.

Llegaron a ella y Catalejo golpeó la puerta con los nudillos, suavemente.

Esperó.

La golpeó una segunda vez.

Esperó.

Nada.

—No hay nadie, señor –informó a su amo.

—Ya lo veo, Catalejo –suspiró con paciencia.

Pasaron a la segunda puerta.

Catalejo repitió la operación.

Llamó con los nudillos y esperaron.

Esta vez sí, se escuchó una débil voz al otro lado.

—¿Sí?

—Perdone la molestia, señora mía...

—No soy una señora, y si lo fuera no sería suya –le cortó la voz–. Soy un venerable anciano.

—Disculpe, venerable anciano –retomó el hilo Catalejo, que ahora llevaba la voz cantante–. Estamos buscando al Maestro Pluma.

—Huy, no lo sé. No se está quieto en ninguna parte.

—¿Y el Mago Pulpo?

—Puede aparecer aquí mismo en un segundo, o pasarse días sin que lo veamos.

—¿Y el inspector Valeriano?

—Es un hombre tan misterioso que a veces parece invisible.

Ya no tenía más preguntas.

El conde Letras estaba rojo. Encendido.

—Vamos a probar la siguiente puerta, señor –sugirió Catalejo con voz casi tan débil como la del venerable anciano.

Repitieron exactamente el diálogo, sólo que ésta vez creyó que se trataba de un segundo venerable anciano y la voz correspondía a una señora. Ni suya ni de nadie.

Tampoco sabía nada.

—¿Vamos a tener que llamar a todas las puertas? –se desanimó el conde Letras.

—¿Quiere rendirse, señor?

—¡No! –apretó los puños–. ¡Un Letras no se rinde!

—Entonces...

Catalejo iba a llamar a la tercera puerta.

De pronto su mano se quedó a medio camino.

—Ahí va –exclamó.

—¿Qué pasa ahora? –saco la cabeza por detrás suyo su amo.

—Mire –el sirviente señaló una placa situada a un lado.

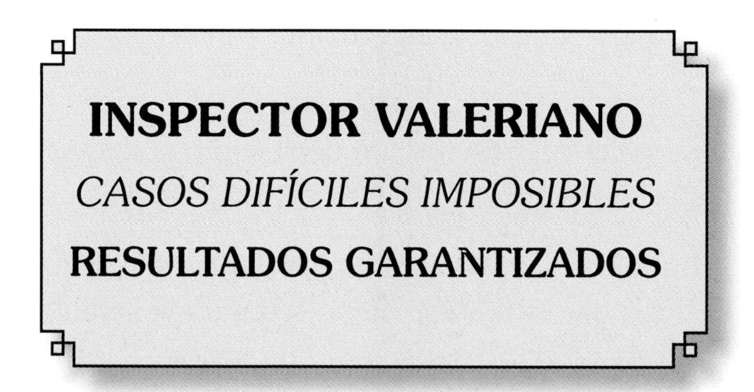


—¡Vaya suerte! –manifestó Catalejo golpeando la puerta.

—¿Suerte? Con la que tenemos seguro que no restará en casa o...

La puerta se abrió.

Y por el quicio apareció un hombre alegre, jovial, radiante. Llevaba sombrero, un abrigo lleno de bolsillos, con las solapas levantadas, y una enorme lupa en su mano.

El inspector Valeriano.

Evidentemente.

—¿Sí, jóvenes? –les observó con su lupa, de manera que de pronto pareció tener un sólo ojo, como si también él fuera un cíclope.

Y se quedó mirando a Catalejo fijamente.

—Soy el conde Letras –tomó la iniciativa con su pomposidad habitual desplazando a Catalejo de la primera fila–. Nos han dicho que usted puede ayudarnos a encontrar a...

—¿Es un conde de verdad? –le interrumpió el inspector.

—¿Tengo aspecto de ser un conde falso? –sacó el pecho.

—Huy, si le contara –se guardó la lupa en un bolsillo–. Hace unos meses vi...

—Queremos que encuentre al Maestro Pluma –le puso la mano en la boca–. Y si no da con él, que localice al Mago Pulpo para que lo haga.

El inspector Valeriano se puso bizco.

—Déjelo respirar, señor –advirtió Catalejo.

Le quitó la mano de la boca.

—No hay problema –recuperó la sonrisa el defensor de la ley.

—¿No? –se asombró el conde.

—No, ninguno. Será un placer. Y tratándose de un conde no le costará nada.

Era la primera alegría que recibían.

—Vaya, pues... gracias.

—A no ser que insista.

—¿Quiere que insista?

—Pruebe.

—Insisto.

—Ah, no, soy un servidor público.

—De acuerdo entonces.

—A no ser que insista –volvió a decir.

—¿Quiere que insista de nuevo?

—Pruebe.

—Insisto.

Daba la impresión de haber iniciado un diálogo eterno, de nunca acabar. Pero se equivocó. El inspector Valeriano reparó en el catalejo doblado por la mitad que llevaba Catalejo.

—Quiero ese catalejo –pidió.

—¡No! –dio un paso atrás su dueño.

—Catalejo, dale tu catalejo a este señor.

—Es que sin él... me siento desnudo y...

—Tendrás otro al llegar a la palacio.

—No es lo mismo. Éste perteneció a mi familia...

—Catalejo, obedece.

—¿Y cómo encontraremos el globo, y el camino de regreso a palacio, y...?

—¡Catalejo!

Se lo entregó al inspector Valeriano, que había asistido a su discusión como si estuviera viendo un partido de tenis, deporte que se estaba haciendo muy popular entre la plebe.

—¡Oh, gracias, que amable! –se lo guardó en uno de sus muchos bolsillos–. ¿Vamos?

—Desde luego –asintió el conde Letras.

—Ya verá como yo trabajo rápido, fino y seguro.

—¿Puedo hacerle una pregunta?

—Adelante.

—¿Por qué tiene este abrigo tantos bolsillos?

—En ellos guardo todos mis casos, por si me sirven de ayuda o he de repasar algo. Son muy útiles.

Quedó impresionado, aunque los bolsillos no parecían estar muy llenos. Claro que habiendo tantos...

El inspector Valeriano acabó de salir de su casa, se subió aún más las solapas de su abrigo, recuperó la lupa del bolsillo en el que la había guardado, se dobló sobre sí mismo igual que si examinara unas huellas y caminó exactamente siete pasos. Hasta la siguiente puerta.

En ella destacaba otra placa parecida a la suya.

**MAGO PULPO**

*FIESTAS, BANQUETES, ASAMBLEAS*

DIVERSIÓN GARANTIZADA

EVASION PURA Y DURADERA

FELICIDAD ABSOLUTA

—¡Pero si era su vecino! –exclamó el conde.

—Ya le he dicho que yo trabajo rápido, fino y seguro.

—¡No me diga!

—Sí le digo. He seguido su rastro hasta aquí.

—¡Sí, claro!

Catalejo ignoró a los dos.

Llamó a la puerta...

Y no tuvo que hacer nada más, porque la hoja de madera se abrió sola, sin hacer el menor ruido.

## CAPÍTULO XVI

# El misterioso Mago Pulpo

Al otro lado de la puerta, la oscuridad era absoluta.

Catalejo no se atrevió a cruzar aquel umbral.

—Vamos, pasen –los invitó el inspector Valeriano tomando la iniciativa–. Y prepárense para algo muy espectacular.

—¿Có-co-como que espe-pe-pectacular? –tartamudeó el servidor del Conde.

—Huy, puede suceder cualquier cosa –quiso tranquilizarle el defensor de la ley.

No lo consiguió.

—¿Y si espero fuera, señor?

—Catalejo...

—Ya, ya.

La casa estaba muy oscura, y no parecía haber luz por ninguna parte. Lo de que el Mago Pulpo había desaparecido y ahora hacía acto de presencia en cualquier momento y en cualquier parte no era la mejor de las garantías ni tampoco una información muy precisa. Sin embargo el inspector parecía estar en su ambiente.

Con la lupa por delante, eso sí.

—¡Hooo-la! –cantó suavemente.

Silencio.

—¡Querido Puuulll-po!

Era como estar en una pescadería, aguardando a que lo pedido fuera fresco.

El conde Letras volvió a desinflarse.

Ya le quedaba muy poquita paciencia.

Llegaron a una sala. Había un foco de luz cenital y tres sillas dispuestas frente a él. Valeriano sonrió.

—Sentémonos –propuso.

—Yo no quie... –quiso protestar el conde.

—Sentémonos –repitió el inspector.

Se sentaron.

Transcurrieron unos segundos.

—¿Y ahora qué?

—Sssh...

Catalejo miraba a todas partes, sobre todo por detrás suyo.

De pronto se formó una nube bajo el haz de luz.

Una nube blanca que se convirtió en roja para iluminarse finalmente en un tono verde, igual que si fuera fosforescente.

Escucharon el rugido de un trueno.

—Espectacular, ya se lo dije –sonrió feliz el detective.

Y de pronto allí estaba él.

Aparecido de la nada.

El Mago Pulpo.

Chistera, bigotes idénticos a los del inspector Valeriano, traje negro, capa roja.

Y desde luego con seis brazos.

Seis manos.

En cada una sujetaba algo distinto.

Un maletín, un pincel, un tubo...

—Hola, Zacarías –dijo el agente de la ley tratándole con toda familiaridad–. Estos señores querían verte.

—¿Para qué?

—Ah, no sé. El mago eres tú.

—Gracias, Valeriano.

Se acercó al conde Letras y a Catalejo. El primero lo contemplaba absorto por lo de tener seis brazos. Pensó que igual descendía de una araña. El segundo tenía tan abierto su único ojo que daba la impresión de ir a caérsele al suelo la pupila.

Los dos acabaron contemplando el sombrero. Era tan grande que se lo imaginaron lleno de cosas.

Una granja de conejos incluida.

—¿Qué tal llevas lo de aparecer y desaparecer sin más? –quiso saber el inspector.

—Lo voy controlando –miró al conde y le preguntó–. ¿Qué es lo que quiere?

El momento de la verdad.

—Estoy buscando al Maestro Pluma.

—¿Por qué no se lo pedía al inspector Valeriano?

—Nos dijeron que usted...

—Yo soy un mago. Hago trucos. La ley es la que busca a las personas.

—Pero el inspector nos dijo que no podía...

—Yo no dije eso.

—Lo dijo.

—No. Usted me expresó su intención de encontrar al Maestro Pluma, y me aclaró que si no daba con él, le localizara al Mago Pulpo. Como no sé dónde está el Maestro Pluma, pero sí sabía dónde estaba el Mago Pulpo, le he traído hasta aquí.

—Es verdad, señor –le hizo notar Catalejo–. Cuando le puso la mano en la boca...

—¿Tú de qué parte estás?

—De la suya, de la suya, señor.

El conde centró su mirada en el detective.

—¿Puede encontrar al Maestro Pluma?

—Es muy escurridizo...

—¿Y usted? –pasó la dirección de sus ojos al mago.

—Es muy escurridizo –repitió las mismas palabras el de la chistera.

—Entonces... –se puso al borde del estallido el conde.

—Quizás los dos juntos... –manifestó el inspector Valeriano.

El conde se contuvo.

—El Maestro Pluma no es alguien... normal –dijo el Mago Pulpo–. No vive en ninguna parte, se pasa el día creando letras allá donde le agarra la inspiración...

—Es un artista –quiso justificarlo con tres palabras el inspector.

—¿Para qué quiere ver al Maestro Pluma?

—Eso, para qué quiere verle.

—Por una letra.

—¿Qué clase de letra?

—Una I –dijo el conde.

—Una i –dijo Catalejo.

—Ya entiendo –asintió el Mago Pulpo.

—Yo también –le secundó el inspector Valeriano.

Los dos miraron al conde y a Catalejo.

—¿Van a ayudarme o no? –se impacientó el noble.

—Oh, sí, sí, desde luego –aseveró el detective. Y miró al mago para decir–: ¿Verdad?

—Claro, claro.

Continuaron inmóviles.

—¿Qué haremos para dar con él? –preguntó Catalejo.

—Necesitamos algo que haya sido tocado por el Maestro Pluma –afirmó el inspector.

—Pero si no vive en ningún sitió fijo... –objetó el conde.

—En este caso una letra que haya sido creada por su mano –apuntó el Mago Pulpo–. Dejan un rastro energético que confluye en su autor.

—¿Y dónde...? –se impacientó una vez más el conde Letras.

—En marcha –se puso en movimiento Valeriano.

## CAPÍTULO XVII

# Tras el rastro del Maestro Pluma

Salieron al exterior los cuatro.

El conde Letras con su imponente aspecto, por más que los efectos del viaje fuesen visibles en sus arrugados ropajes. Catalejo sintiéndose desnudo sin su catalejo. El Mago Pulpo agitando sus seis brazos al caminar. Y el inspector Valeriano, de nuevo lupa en ristre, siguiendo imaginarias huellas por doquier.

A los pocos pasos, Catalejo tropezó y se vino al suelo.

—¡Vaya! –exclamó el inspector.

—¡Qué trancazo! –se alarmó el mago.

—¿Te has hecho daño? –se preocupó el conde.

—No, no –Catalejo se puso en pie de un salto, herido en su amor propio–. Es que... sin mi catalejo me siento desnudo. Es mi segundo ojo.

—¿Y dónde está tu catalejo? –le preguntó el Mago Pulpo.

—Se lo di... a él –señaló al inspector Valeriano.

—Caramba, Valeriano...

—Me gustaba –se hizo el desentendido–. Y además ya estaba arruinado.

El Mago Pulpo ni se inmutó. Se llevó una de sus seis manos a la chistera y se la sacó de la cabeza. La puso en el suelo, boca arriba, y metió otra de sus manos en el interior.

Pareció buscar algo.

—A ver... a ver... Sí... No... Por aquí... –luego sonrió y exclamó–: ¡Sí!

Extrajo un catalejo nuevo, reluciente, perfecto.

Exactamente igual al de Catalejo.

—¿Te gusta? –se lo entregó.

—¡Oh, gracias! ¡Sí, claro que me gusta! ¡Es... maravilloso! –se emocionó el fiel servidor del conde Letras.

Su amo se inclinó para mirar el fondo de la chistera. No se veía nada.

—Oiga –exhaló–. ¿No tendría también ahí dentro algo de comida?

—Por supuesto, ¿qué quiere?

—Letras. ¿Tiene letras?

El Mago Pulpo repitió su acción. Introdujo una de sus manos en la chistera, rebuscó por el fondo, puso cara de concentración...

—Letras... veamos... sí... no... ¡Hum...!

El estómago del conde crujió con estrépito.

—¿Le valen unas galletas?

—Sí, sí.

—¿O prefiere un bocadillo?

—¡Lo que sea! ¡Tengo hambre!

El sorprendente mago sacó la mano. Llevaba un bocadillo de letras bastante grueso y apetitoso.

—Las galletas están más al fondo –dijo.

El conde Letras agarró el bocadillo y se lo llevó a la boca. La primera dentellada se llevó casi una cuarta parte. El Mago Pulpo lo contempló sorprendido.

—Yo también tengo hambre –dijo Catalejo.

Apareció un segundo bocadillo, éste de jamón y queso.

—¿Vamos a merendar? –se animó el inspector Valeriano–. Yo lo quiero de chorizo.

—No hay de chorizo –le dirigió una mirada seca, con los ojos semicerrados, el Mago Pulpo–. ¿Tú crees que esto es un restaurante?

—Caramba, Zacarías...

El conde y Catalejo daban buena cuenta de sus respectivos bocadillos. Estaban buenísimos. El Mago Pulpo, Zacarías, volvió a ponerse el sombrero en la cabeza.

—Sé dónde hay unas letras creadas por el Maestro Pluma –dijo.

Caminaron apenas cincuenta metros. Villa Alphabética continuaba siendo un lugar extraño, con casitas diseminadas bajo los árboles, pero nadie en las calles. De vez en cuando se movían unas cortinas, desaparecían unos ojos detrás de una ventana. Poco más.

—¿Qué le ocurre a la gente? –preguntó Catalejo.

—Son muy hogareños –respondió el inspector Valeriano–. Prefieren salir a pasear de noche.

El Mago Pulpo se detuvo finalmente frente a una tiendita en la que parecía venderse de todo, un gran almacén. También había comida. Pero los precios estaban en moneda local.

—¿Tiene otro bocadillo? –preguntó el conde–. Aunque no sea de letras. Estaba buenísimo.

—Es usted un tragón, ¿eh? –sonrió el inspector.

—Sí –lo aceptó el noble dispuesto a lo que fuera con tal de comer más.

El Mago Pulpo repitió su acción. Chistera en el suelo, boca arriba, la mano dentro, la cara de concentración... Esta vez sacó unas galletas con forma de letras para el conde y unos pastelitos de chocolate para Catalejo. Cuando volvió a ponerse la chistera señaló hacia arriba.

El rótulo de la tiendita era precioso, compuesto por unas hermosas letras llenas de florituras y filigranas.

—Esto lo hizo el Maestro Pluma –dijo el Mago Pulpo.

Al conde Letras se le encogió el corazón. La i de "Tienda" y de "precio" eran maravillosas. Allí tenía la letra que había ido a buscar, aunque no pudiese llevarse el letrero entero, que era muy grande y no le cabría en el globo, sin olvidar que sería imposible transportarlo hasta él. Ya le había sucedido algo parecido ante los letreros de las casas del inspector Valeriano y del mago, puesto que allí también vio la nueva letra, mayúscula en ambos casos. Pero en esta ocasión lo que sintió fue diferente. Especial.

—Veamos qué me dicen esas letras...

El Mago Pulpo se sacó por tercera vez la chistera. La colocó en el suelo, esta vez boca abajo, y se subió sobre ella para alcanzar con las dos manos superiores el contorno del letrero. Cerró los ojos y se concentró en su tacto.

Una vez los abrió y miró hacia el lago.

Otra vez los abrió y miró hacia el bosque.

Una tercera vez los abrió y miró en dirección al cielo.

Y de pronto...

—Está en el Jardín de las Flores –anunció.

El conde Letras y Catalejo se dieron cuenta de que habían dejado de respirar.

TIENDA
La
Buena Esperanza
TODO Y MÁS
AL MEJOR PRECIO
damos cupones

Soltaron el aire retenido en sus pulmones e inspiraron sendas bocanadas de renovada energía. Luego uno le pegó un mordisco a las galletas y el otro a los pastelillos.

—¡Vamos al Jardín de las Flores! –exclamó el inspector Valeriano.

—¿Tiene un refresco? –preguntó el conde Letras al mago antes de que volviera a ponerse la chistera.

# CAPÍTULO XVIII

## En el Jardín de las Flores

El Jardín de las Flores era precisamente eso, un jardín lleno de flores.

Pero qué jardín y qué flores.

Ni el conde ni Catalejo habían visto nada igual.

El lugar era enorme, selvático, casi virgen, con árboles de copas tupidas bajo los cuales se extendía, igual que un manto, el más increíble vergel jamás imaginado. Había flores gigantes y enanas; flores rojas, verdes, amarillas, malvas, azules, blancas y de colores mezclados; flores de pétalos vivos y flores de estambres parecidos a antenas; flores de tallos largos y cortos, con espinas o sedosos. Incluso parecían estar vivas, porque cuando entraron los cuatro, muchas de ellas se movieron para observarles, girándose como girasoles persiguiendo el Sol. Era tal la sinfonía de colores y formas que el conde y Catalejo se sintieron arrebatados por aquella inusitada belleza y se olvidaron de todo, del viaje, de los recientes dos días de penalidades y hambre, del Vampiro Literario, de la bruja, de los extravagantes personajes hallados en el Valle Luminoso...

No era de extrañar que el Maestro Pluma se refugiara allí para crear sus letras.

—¿Qué hacemos, le llamamos? –preguntó Valeriano.

—¿Estás loco? –objetó el mago–. Como le interrumpamos o le demos un susto... Ya sabes cómo se pone.

—¡Oh, sí!

El conde Letras fue a preguntar algo pero prefirió callarse.

El Maestro Pluma tenía que ser todo un personaje.

El más singular de cuantos habían visto en el viaje.

—Vamos a buscarle con paciencia –dijo el Mago Pulpo.

—¿Nos desplegamos?

—No, Valeriano. Si lo hacemos, ellos seguramente se pierden –señaló a sus dos compañeros–. Iremos juntos.

—Bien –el inspector sacó su lupa.

—Yo seguiré el rastro energético –se hizo el importante el Mago Pulpo.

Durante los siguientes minutos nadie habló. Uno caminaba prácticamente doblado sobre sí mismo, con la lupa a ras de suelo, persiguiendo huellas o lo que fuera. Otro parecía olfatear el aire, en busca de una energía perdida, tocando una hoja, un tallo o una flor. El conde Letras y Catalejo les seguían, a un par de pasos, muy expectantes. De vez en cuando el inspector Valeriano apartaba una mata con gesto triunfal, sólo para toser a continuación y despistar. De vez en cuando el Mago Pulpo sonreía y miraba detrás de un árbol, sólo para silbar como si no pasara nada.

La búsqueda del Maestro Pluma se hizo larga.

Tensa.

Además, allí olía tan bien, y las flores eran tan bonitas...

—Catalejo no te atrases –advertía el conde cuando su servidor se quedaba colgado de una flor, contemplándola admirado.

—Cuidado, señor, no se quede atrás –hacía lo propio Catalejo cuando su amo se extasiaba con otra.

Cinco minutos después, el mago y el detective se miraron consternados.

—Está aquí, seguro, siento su energía, pero en este jardín tan lleno de flores... –lamentó el Mago Pulpo.

—Y hay tantas huellas... –asintió el inspector Valeriano.

—¿Cómo es el Maestro Pluma? –preguntó Catalejo.

—Pues... es una Pluma, está claro –dijo el detective.

—Una Pluma muy pequeñita –concluyó la explicación el mago.

—¿El Maestro Pluma es una Pluma chiquita? –abrió los ojos el conde Letras.

—Sí –respondieron al unísono ellos dos.

—Creía que... –no acabó la frase el noble.

—Yo puedo encaramarme a un árbol, y con mi catalejo... –propuso Catalejo.

—¡Cómo no habíamos pensado en ello! –lamentaron de nuevo al unísono los dos curiosos personajes de Villa Alphabética.

—Vamos, no pierdas tiempo –le apremió el conde.

Catalejo buscó un árbol no sólo alto, sino de fácil acceso. Encontró uno muy rugoso, con ramas bajas, y se encaramó por él con destreza heredada de sus años en la isla. Se perdió entre el follaje en un par de segundos.

El silencio acabó de romper los nervios al conde.

—¿Ves algo? –gritó.

—¡No, señor! –le respondió Catalejo desde las alturas.

Otro minuto.

Y otro más.

Tres.

Hasta que de pronto...

—¡Lo veo, lo veo! –escucharon la excitada y feliz voz de Catalejo–. ¡Está por la izquierda, debajo de un cactus gigante, al lado de una enorme mata de rosas rojas!

—¡Vamos, baja rápido! –le ordenó el conde Letras.

—Caramba, señor...

Bajó lo más rápido que pudo, feliz y orgulloso, aunque la parte final la hizo un poco ridículamente y la caída no fue de lo más espectacular. Acabó sentado en el suelo.

El conde Letras le tendió la mano.

—Gracias, amigo –le dijo.

Amigo.

Era la primera vez que le hablaba así.

—Yo le dije que necesitaba el catalejo –lo aprovechó él.

—¡Vámonos! –hizo entrechocar sus manos radiante el inspector Valeriano–. El Gran Cactus está por ahí.

Ya no caminaron.

Corrieron.

Corrieron por entre las flores, las plantas, los árboles...

Delante iba Valeriano. Lo seguía el mago. Cerraban el conde y Catalejo. El conde Letras no estaba habituado a realizar tanto ejercicio físico, así que acabó jadeando. Por suerte el Gran Cactus ya no estaba lejos. Primero localizaron el matorral de las rosas rojas. Luego...

—No veo nada –se alarmó el conde.

Catalejo había memorizado el sitio exacto. Se acercó a una de las hojas del cactus y la apartó ligeramente, hacia arriba, tratando de no pincharse con las púas tan duras como cuchillos.

Y en efecto, allí estaba.

El Maestro Pluma.

Tan pequeño, tan pequeño, que sólo un niño habría podido cogerlo para escribir o dibujar con él.

# CAPÍTULO XIX

## La palabra de honor del conde Letras

El Maestro Pluma también era un niño.

Un niño con dos manos, sin piernas, con tres botones rojos y un penacho de pelo de tres puntas. Se sostenía apoyado en el suelo por el extremo inferior, puesto que estaba dibujando algo en ese momento, muy concentrado.

Al notar que lo miraban levantó la cabeza.

No pareció enfadado por la interrupción.

—¡Ah, hola Valeriano, hola Zacarías! –saludó a sus compatriotas.

–Perdone, Maestro... –dijo el primero.

—Estos señores lo estaban buscando y... –vaciló el segundo.

El conde Letras se dio cuenta del respeto con que lo trataban.

Era un artista, claro.

El Maestro Pluma miró a los desconocidos.

—¿Quiénes son? –preguntó.

—Mi nombre es Letras, y soy conde –manifestó con dignidad pero no con orgullo el noble–. Éste es mi fiel servidor Catalejo.

—Un cíclope –abrió los ojos el niño.

—Encantado –se inclinó Catalejo.

—¿Y qué quieren de mí?

—Que nos dibuje una letra que no existe en mi condado –le explicó el conde–. Una I mayúscula y una i minúscula. Las... necesitamos.

—He oído hablar de cierto conde que se come las letras –el Maestro Pluma se rascó la cabeza mientras miraba de hito en hito a su interlocutor.

El conde Letras se puso rojo.

—¿Ah... sí?

—El mundo a veces es muy grande, pero en ocasiones resulta pequeño. Siempre creí que se trataba de una leyenda, de la clásica historia que cambia de distancia en distancia y de ciudad en ciudad, así que no digamos de país en país. Hasta los pájaros inventan cuentos y los llevan por el aire –le sonrió al conde como sólo un niño sabe hacerlo, con inocencia–. Llevo toda la vida creando y dibujando letras, tragón.

El conde se puso aún más rojo.

Catalejo tuvo que contener una carcajada.

¡Había llamado tragón a su señor!

—Bueno, yo... –no supo que decir el noble.

—Te dibujaré esa letra. Y no sólo eso: te la haré en un montón de estilos distintos –dijo el Maestro Pluma–. Pero con una condición.

—¿Cuál?

—Que no te la comas.

El conde Letras pasó de rojo a blanco.

Pálido como la Luna llena.

—Pero eso...

—Tendrás la letra para llevarla a tu condado, y con ella mejorará tu escritura, verás que hay palabras que suenan y se escriben mejor que con la Y. El precio a pagar, sin embargo, habrá de ser ése.

—Pero... es que si no como letras...

—Puedes comer las que desees, pero no las que te haga yo. Y ninguna I o i. ¿Estás de acuerdo?

El conde miró a Catalejo.

Se pasó una mano por el cuello, porque de pronto todo le apretaba.

Hasta que se rindió.

No había llegado tan lejos para regresar con las manos vacías.

—Estoy de acuerdo –suspiró.

—¿Me das tu palabra de honor? –el Maestro Pluma le tendió la mano.

—Te la doy –accedió derrotado.

Y se estrecharon las manos.

—¿Has probado volverte vegetariano? –propuso el niño.

Catalejo ya no pudo evitar la carcajada.

—¡Catalejo! –se enfadó su amo.

Intentó contenerse, pero no pudo. Se rió aún más.

Se deshizo en carcajadas.

Tanto que acabó arrastrando con su risa al inspector Valeriano y al Mago Pulpo.

Y finalmente... al propio conde Letras.

Todos acabaron riendo.

Dejaron de hacerlo cuando el Maestro Pluma cogió una hoja de papel y empezó a dibujar una y otra vez, en múltiples estilos, la I y la i por la que sus visitantes habían llevado a cabo tan extraordinario viaje.

## CAPÍTULO XX

# Asieraantes (El Rey Ayer)

A la salida del Jardín de las Flores, después de decirle adiós al Maestro Pluma y darle las gracias, los cuatro se miraron entre sí, muy felices.

Era hora de regresar a casa.

Quedaba la despedida.

—Celebramos haberlos ayudado –manifestó el inspector Valeriano guardándose la lupa antes de dirigirse a Catalejo para decirle–: Y te devolvería el catalejo con gusto, pero creo que éste está mejor, ¿verdad?

—Sí –reconoció Catalejo apretando el nuevo bajo su brazo.

—Ha sido un placer servir a tan ilustre amigo –hizo una pequeña reverencia el Mago Pulpo.

El conde Letras sacó el pecho.

—Si algún día cruzan las montañas y llegan a mi condado, los nombraré Caballeros de la Alta Lechuga, nuestra condecoración más importante.

—¿La Alta Lechuga?

—Cosas de mis antepasados.

—¿Y por qué no la Alta Letra?

—La lechuga es nuestro bien más común.

—¿Ves como deberías hacerte vegetariano? –le guiñó un ojo el detective.

Los cuatro se rieron. Catalejo el que más.

—Hemos de irnos –suspiró el conde–. Nos queda un largo camino hasta nuestro transporte, y como nos encontremos a más personajes insólitos en el trayecto...

—Tardamos dos días en llegar –coincidió en su recelo Catalejo.

—Oh, no tienes que preocuparte por eso –dijo el Mago Pulpo.

—¿Ah, no?

—Ahí enfrente vive Asieraantes.

—También conocido como el Rey Ayer –aclaró el inspector Valeriano.

—¿Quién es Asieraantes? –alzó las cejas el conde.

—Es el controlador del tiempo en Villa Alphabética.

—Algo así como nuestro calendario.

—Y nuestra memoria.

—El regulador de la vida en la comunidad.

—Un tipo curioso.

—Extravagante pero curioso.

—Peculiar.

La cabeza del conde Letras parecía un abanico, porque miraba alternadamente a uno y a otro. Cuando acabaron de hablar él siguió agitándola un par de segundos más, llevado por la inercia.

—¿Y qué puede hacer para ayudarnos? –preguntó Catalejo.

—Asieraantes observa el tiempo pasado a través de su monóculo –les explicó el Mago Pulpo–. Lo mismo que tú te alimentas de letras, él se alimenta de segundos, minutos, horas... Devora el tiempo.

—Su cuerpo tiene forma de reloj.

—Sus manecillas no pueden ir hacia adelante, pero sí hacia atrás.

—Nunca se está quieto.

—Le gusta que lo llamen Rey Ayer porque eso es un palíndromo.

—Ya sabes, una palabra que dice lo mismo leyéndola hacia la derecha y al revés.

—Se peina con gel para que su pelo quede como la parte superior de la letra Ñ, que es su favorita.

—En la parte posterior de su cabeza lleva tatuadas estas palabras:

"Compa**ñ**ero ma**ñ**oso que api**ñ**a con empe**ñ**o extra**ñ**o los a**ñ**os de anta**ñ**o, ense**ñ**a y desentra**ñ**a la mara**ñ**a de las ma**ñ**anas de las monta**ñ**as se**ñ**aladas desde sus pesta**ñ**as".

—Con todas las eñes en negrita, para que realcen.

El conde agitaba de nuevo la cabeza de lado a lado siguiendo las explicaciones del mago y el detective, a toda velocidad.

—¿Todo eso lleva escrito en la nuca? –se sorprendió Catalejo–. ¡Será un cabezón!

—¡Cuidado, que no te oiga hablar así!

—¡Es muy quisquilloso!

—Si quieres que te ayude...

El conde Letras estaba agotado de tanto mirar a los dos alternativamente.

—¿Pero qué puede hacer por nosotros? –insistió Catalejo.

—Puede hacer que su reloj vital retroceda 48 horas y se encuentren nuevamente en ese lugar al que se dirigen, sin tener que cruzar las tierras del Valle Luminoso.

—¡Vamos a verlo! –exclamó el conde.

La casa era sin duda la más peculiar de Villa Alphabética. Tenía dos plantas, el techo de paja verde, ventanas de madera pintadas de rojo y una puerta de color azul. Ni siquiera tuvieron que llamar.

Asieraantes, también llamado el Rey Ayer, apareció en el umbral cuando todavía se encontraban a un metro de la puerta, tal cual lo habían descrito el mago y el inspector.

Su corazón no latía.

Hacía tic-tac, tic-tac, tic-tac...

—No tienen que contarme nada –les dijo–. Lo sé todo.

—Ah –abrió la boca el conde Letras.

—¿Quieren ir ya o prefieren quedarse a cenar?

El noble y su servidor intercambiaron una mirada. Allí, en aquel extraño lugar, podía suceder de todo, bueno y malo. Ya tenían lo que habían ido a buscar, las letras escritas generosamente por el Maestro Pluma. Y acababan de merendar tan ricamente con lo extraído de la chistera del mago.

Lo mejor era regresar cuanto antes.

Quedaba el viaje en globo.

—No –fue categórico Asieraantes–. Mi poder temporal y mi reloj únicamente alcanzan estas tierras. Las montañas que nos rodean forman un círculo infranqueable.

—Nos iremos ahora –suspiró el conde–, aunque le agradecemos su amable invitación.

—Entonces, ¿están preparados?

—Pues... sí.

—¿A qué hora llegaron al Valle Luminoso?

—Al amanecer de ayer.

—¿Dónde?

—Al pie de las montañas, por allí –señaló la dirección precisa.

—Muy bien.

Primero, hizo que las manecillas de su reloj retrocedieran las horas indicadas, hasta la mañana del día anterior. Después, con la mano derecha agarró al conde Letras y con la izquierda a Catalejo. Cerró los ojos.

El conde lo miró con aprensión.

Catalejo con miedo.

Esperaban escuchar un zumbido, o que sus cuerpos se agitaran...

No pasó nada de eso.

—Adiós –se despidió el Mago Pulpo.

—Adiós –se despidió el inspector Valeriano.

De pronto cuanto les rodeaba dejó de ser real, se difuminó y perdió consistencia, como si se tratase de un sueño.

Pero no era un sueño.

Las formas, los colores, las sensaciones...

Una blancura celestial los envolvió.

Asieraantes tampoco se encontraba allí.

Flotaron en un espacio sin fin, en el que no había alto o bajo, techo o suelo, lados o dimensiones.

La blancura llegó a ser cegadora. Sus cuerpos, sin embargo, no acusaron cambio alguno. Como mucho, un cosquilleo feliz.

Hasta que todo acabó.

A su alrededor volvieron a concretarse las formas.

Las montañas, los árboles, la tierra... y el globo a menos de cien metros.

—¡A casa, Catalejo! –gritó emocionado el conde Letras dándole el abrazo más grande de todos los abrazos a su fiel servidor.

**EPÍLOGO**

# Se dice...

El resto es...

¿Más leyenda?

¿Fantasías aumentadas por el paso del tiempo?

¿El producto surgido de la mente de un escritor inquieto e inquietante?

Cómo saberlo.

Se dice que muchos años después, el conde todavía conservaba en su palacio aquella hoja de papel con las letras dibujadas por el Maestro Pluma, su más preciado tesoro.

Se dice que nunca se comió aquellas I e i.

Se dice que cuando murió, al conde lo enterraron con ellas.

Se dice que, eso sí, la nueva letra ayudó a mejorar la escritura.

Se dice que jamás volvió a comer letras.

Se dice ¡que se hizo vegetariano!

Se dice que nombró a Catalejo primer chambelán de su corte.

Se dice, se dice, se dice.

Las leyendas son así, y sin duda la del conde Letras es de las más especiales.

Yo, que soy un escéptico, pienso que se las comió, que nunca dejó de tragar letras, que murió gordito y después de una indigestión de kas, emes, eñes y zetas aderezadas con un baño de crema de eses.

Y que su aventura en el Valle Luminoso y en Villa Alphabética debió de ser un sueño.

Una fantasía.

Aquellos personajes tan singulares...

No sé.

¿Qué piensan ustedes?

Lo único cierto, cierto, cierto, es que uno de esos personajes sí era real.

El Maestro Pluma.

Tengo uno.

Soy escritor.

# ÍNDICE

Para más información sobre el autor, su web personal es:

**www.sierraifabra.com**

Se terminó la impresión de esta obra en septiembre de 2011
en los talleres de Editorial Progreso, SA de CV
Naranjo núm. 248, col. Santa María la Ribera
Delegación Cuauhtémoc, CP 06400, México, DF